Diogenes Taschen

Diogenes Taschenbuch 25012.3

Friedrich Dürrenmatt

Werkausgabe
in dreißig Bänden

Herausgegeben
in Zusammenarbeit
mit dem Autor

Band 23

Friedrich Dürrenmatt

Der Sturz

Abu Chanifa und Anan ben David

Smithy

Das Sterben der Pythia

Erzählungen

Diogenes

Berechtigte Lizenzausgabe mit freundlicher Genehmigung
der Verlags AG ›Die Arche‹, Zürich
Alle Rechte an dieser Edition vorbehalten
Diogenes Verlag AG Zürich, 1980
120/80/8/1
ISBN 3 257 20854 5

Inhalt

Der Sturz   9

Abu Chanifa und Anan ben David   65

Smithy   87

Das Sterben der Pythia   117

Der Sturz

1971

An Fred Schertenleib

                    A

B   C

D   E

F   G

H   I

K   L

M   N

O   P

Nach dem kalten Buffet mit gefüllten Eiern, Schinken, Toast, Kaviar, Schnaps und Champagner, welches im Festsaal das Politische Sekretariat vor der Beratung einzunehmen pflegte, erschien N im Sitzungszimmer als erster. Er fühlte sich seit seiner Aufnahme ins oberste Gremium nur in diesem Raume sicher, obwohl er bloß Postminister war und die Briefmarken zur Friedenskonferenz A gefallen hatten, wie er gerüchtweise vom Kreise um D und genauer von E wußte; aber seine Vorgänger waren trotz der doch eher untergeordneten Stellung der Post innerhalb der Staatsmaschinerie verschollen, und wenn auch der Boss der Geheimpolizei C mit ihm liebenswürdig umging, ratsam war es nicht, nach den Verschwundenen zu forschen. Vor Betreten des Festsaals und vor Betreten des Sitzungszimmers war N schon abgetastet worden, das erste Mal durch den sportlichen Oberstleutnant, der das immer tat, das zweite Mal durch einen blonden Oberst, den N noch nie gesehen hatte; der Oberst, der ihn sonst vor dem Sitzungszimmer abtastete, war kahl, mußte im Urlaub sein, oder war versetzt, oder entlassen, oder degradiert, oder erschossen worden. N legte die Aktentasche auf den Versammlungstisch und nahm Platz. L setzte sich neben ihn. Das Sitzungszimmer war lang und nicht viel breiter als der Versammlungstisch. Die Wände waren halbhoch braun getäfelt. Der ungetäfelte Teil der Wände und die Decke waren weiß. Die Sitzordnung war nach der Hierarchie des Systems geregelt. A saß oben. Über ihm, am weißen Teil der Wand, hing die Parteifahne. Ihm gegenüber blieb das andere Tischende leer, und dahinter war das einzige Fenster des Sitzungszimmers. Das Fenster war hoch, oben gewölbt, in fünf Scheiben eingeteilt und hatte keine Vorhänge. B D F H K M saßen (von A aus gesehen) an der rechten Tischseite und ihnen gegenüber C E G I L N, neben N saß noch der Chef der Jugendgruppen P und neben M der Atomminister O, doch waren P und O nicht stimmberechtigt. L war der Älteste des Gremiums und hatte, bevor A die Partei und den Staat übernahm, einmal die Funktion ausgeübt, die D jetzt ausübte. L war Schmied gewesen, bevor er Revolutionär wurde. Er war groß und breitschultrig, ohne Fett angesetzt zu haben. Sein Gesicht und seine Hände waren derb, seine grauen Haare waren noch dicht und kurz geschnitten. Er war immer unrasiert. Sein dunkler Anzug glich dem Sonntagskleid eines Arbeiters. Er trug nie eine Krawatte. Der Kragen seines weißen Hemdes war stets zugeknöpft. L war in der Partei und beim Volk populär, um seine Taten während des Juni-Aufstandes hatten sich Legenden gebildet; doch lag diese Zeit so weit zurück, daß ihn A ›das Denkmal‹ nannte. L galt als gerecht und war ein Held, und so war sein Abstieg nicht ein spektakulärer Untergang, sondern ein Immer-Tiefer-Sinken innerhalb der Hierarchie. Die Furcht vor einer Anklage unterhöhlte L. Er wußte, daß sein Sturz einmal kommen mußte. Wie die beiden Marschälle H und K war er oft betrunken, sogar zu den Sitzungen des Sekretariats erschien er nicht mehr nüchtern. Auch jetzt stank er nach Schnaps und Champagner, doch war seine rauhe Stimme ruhig, und seine wässerigen, blutunterlaufenen Augen blickten spöttisch: »Kamerad«, sagte er zu N, »wir sind erledigt. O ist nicht gekommen.« N antwortete nicht. Er zuckte nicht einmal zusammen. Er spielte den Gleichgültigen. Vielleicht war O's Verhaftung ein Gerücht, vielleicht täuschte sich L, und wenn sich L nicht täuschte, so war N's Lage vielleicht doch nicht so hoffnungslos, wie jene L's, der für den Transport verantwortlich war. Wenn es in der Schwerindustrie, in der Landwirtschaft, bei der konventionellen oder bei der atomaren Energieversorgung nicht klappte (und irgend etwas klappte immer nicht), stets konnte auch der Transportminister verantwortlich gemacht werden. Pannen, Verzögerungen, Stockungen. Die Distanzen waren beträchtlich, die Kontrollen schwerfällig.

Der Parteisekretär D und der Minister I kamen. Der Parteisekretär war fett, mächtig und intelligent. Er trug den militärisch zugeschnittenen Anzug, womit er A kopierte, aus Unterwürfigkeit wie einige, aus Spott, wie andere glaubten. I war rothaarig und schmächtig. Er war nach A's Machtübernahme Generalstaatsanwalt und ein besonders forscher Kerl gewesen. Er setzte in der ersten großen Säuberung die Todesurteile gegen die alten Revolutionäre durch, wobei ihm ein Irrtum unterlief. Er forderte auf A's Wunsch für dessen Schwiegersohn das Todesurteil, und als A unerwartet intervenierte, um seinem Schwiegersohn doch noch zu verzeihen, war der Schwiegersohn bereits erschossen, ein Lapsus, der I nicht nur die Stellung als Generalstaatsanwalt kostete: noch schlimmer, er kam an die Macht. Er wurde zum Mitglied des Politischen Sekretariats ernannt und damit auf die bequemste der möglichen Abschußlisten gesetzt. Er erreichte eine Position, wo ihm nur mit politischen Gründen der Garaus gemacht werden konnte, und politische Gründe ließen sich immer finden. Im Falle I's waren sie schon vorhanden. Zwar glaubte niemand, A hätte seinen Schwiegersohn retten wollen. Die Hinrichtung seines Schwiegersohnes kam A sicher nicht ungelegen (A's Tochter stieg schon damals mit P ins Bett); aber A besaß jetzt eine öffentliche Ausrede, I zu erledigen, wenn er ihn einmal erledigen wollte, und weil A noch nie eine Chance ausgelassen hatte, jemanden zu erledigen, gab man I keine Chance mehr. I wußte dies und benahm sich, als wüßte er es nicht, wenn auch ungeschickt. Auch jetzt. Er versuchte allzu offensichtlich, seine Unsicherheit zu verbergen. Er erzählte dem Parteisekretär von einer Aufführung des Staatlichen Balletts. I erzählte in jeder Sitzung von der Tanzerei und warf mit Fachausdrücken der Ballettkunst um sich, besonders, seit er noch das Landwirtschaftsministerium übernehmen mußte, obgleich er als Jurist von der Landwirtschaft nichts verstand. Zudem war das Landwirtschaftsministerium womöglich noch tückischer als das Transportministerium und schadete mit der Zeit noch jedem; denn in der Landwirtschaft versagte die Partei zwangsläufig. Die Bauern waren unerziehbar, egoistisch und faul. Auch N haßte die Bauern, nicht an sich, sondern als ein unlösbares Problem, woran die Planer scheiterten, und weil nun einmal Scheitern lebensgefährlich war, haßte N die Bauern doppelt, und aus seinem Haß heraus begriff er sogar I's Verhalten: wer wollte schon von Bauern reden? Nur der Minister für die Schwerindustrie F, der in einem Dorfe aufgewachsen und wie sein Vater Dorfschullehrer gewesen war und eine von einem ländlichen Lehrerseminar roh und primitiv zusam-

mengezimmerte Halbbildung besaß, der wie ein Bauer
aussah und wie ein Bauer redete, erzählte im Politischen
Sekretariat von Bauern, tischte Bauernanekdoten auf, die
bloß ihn erheiterten, zitierte Bauern-Sprichwörter, die
nur er begriff, während der gebildete Jurist I, der sich mit
Bauern herumschlug und an ihrem Unverstand verzwei-
felte, um nicht von ihnen reden zu müssen, seine Ballett-
geschichten herunterplapperte und damit jeden anödete,
am meisten A, der den Landwirtschaftsminister ›unsere
Ballerina‹ nannte (vorher hatte er ihn ›unseren Himmel-
fahrtsjuristen‹ genannt). Trotzdem verachtete N den ehemaligen Generalstaatsanwalt, dessen sommersprossige
Juristenvisage ihm widerlich war. Aus einem fixen Henker war ihm allzu schnell ein ängstlicher Kriecher geworden. N bewunderte dagegen D's Haltung. Bei all dessen
Macht innerhalb der Partei und bei all dessen politischer
Intelligenz empfand ›die Wildsau‹, wie ihn A bezeichnete, sicher auch Furcht, sollte die Nachricht von O's
Nichterscheinen zutreffen, doch D beherrschte sich. Er
verlor seine Lockerheit nie. Der Parteisekretär blieb auch
in der Gefahr gelassen. Aber seine Lage war ungewiß.
O's Verhaftung (falls sie nicht ein bloßes Gerücht war,
das durch sein Nichterscheinen verursacht wurde) konnte einen Angriff auf D einleiten, weil O in der Partei D
unterstand, sie konnte jedoch auch auf den Sturz des
Chefideologen G hinzielen, als dessen persönlicher
Schützling O galt: daß O's Liquidierung (falls sie eintraf)
D und G zugleich bedrohte, war an sich möglich, doch
kaum wahrscheinlich.

Der Chefideologe G hatte das Versammlungszimmer
schon betreten. Er war linkisch, trug eine verstaubte

randlose Brille und hielt den professoralen Kopf mit der
weißen Mähne schräg. Er war ein ehemaliger Gymnasiallehrer aus der Provinz – A nannte ihn den ›Teeheiligen‹.
G war der Theoretiker der Partei. Er war ein Abstinenz-
ler und Asket mit Schillerkragen, ein hagerer Introver-
tierter, der auch im Winter Sandalen trug. War der
Parteisekretär D vital, ein Genießer und Frauenheld, war
beim Chefideologen G jeder Schritt theoretisch ausgeklü-
gelt und führte nicht selten ins Absurde und Blutrünsti-
ge. Die beiden standen sich feindlich gegenüber. Statt
sich zu ergänzen, rieben sie sich aneinander auf, stellten
sich Fallen, versuchten einander zu stürzen: der Parteisekretär als ein Techniker der Macht stand dem Chefideologen als einem Theoretiker der Revolution gegenüber. D
wollte die Macht mit allen Mitteln behaupten, G die
Macht mit allen Mitteln rein erhalten, als sterilisiertes
Skalpell in den Händen einer reinen Lehre. Der Wildsau
waren der Außenminister B, die Erziehungsministerin M
und der Transportminister L verbunden, auf seiten des
Teeheiligen standen der Landwirtschaftsminister I und
der Staatspräsident K sowie der Minister für die Schwerindustrie F, der an Gewalttätigkeit D kaum nachstand,
sich jedoch aus jener Abneigung heraus, die ein Machtbe-
sessener einem anderen Machtbesessenen gegenüber zu
empfinden vermag, im Lager G's befand, obgleich der
ehemalige Dorfschullehrer dem ehemaligen Gymnasiallehrer gegenüber mit Minderwertigkeitsgefühlen belastet
war und ihn wahrscheinlich insgeheim auch haßte.

Eigentlich grüßte G D nicht mehr. Daß der Chefideologe
den Parteisekretär jetzt grüßte, wie N erschrocken
bemerkte, wies auf G's Furcht hin, O's Verschwinden

gelte ihm, so wie der Umstand, daß D zurückgrüßte, auf dessen Furcht schließen ließ, er sei bedroht. Daß sich jedoch beide fürchteten, bedeutete, daß O wirklich verhaftet sein mußte. Die Tatsache aber, daß der Teeheilige herzlich, die Wildsau dagegen nur freundlich grüßte, deutete darauf hin, daß die Bedrohung des Chefideologen eine Nuance möglicher war, als jene des Parteisekretärs. N atmete etwas auf. D's Sturz hätte auch N in Verlegenheit gebracht. N war auf Vorschlag der Wildsau als stimmberechtigtes Mitglied ins Sekretariat aufgenommen worden und galt als dessen persönlicher Schützling, eine Ansicht, die gefährlich werden konnte, auch wenn sie der Wirklichkeit nicht ganz entsprach: erstens gehörte N keiner Gruppe an, zweitens erwartete damals der Chefideologe, der sich für den Atomminister O einsetzte, vor der Wahl, daß der Parteisekretär seinen Schützling, den Chef der Jugendgruppen P, vorschlage. Doch die Wildsau sah ein, daß es leichter war, einen neutralen Anwärter ins Sekretariat zu wählen, als einen seiner Parteigänger oder einen seines Gegners – und außerdem hatte sich inzwischen A's Tochter wieder von P getrennt, um mit einem von der Partei geehrten Romanschriftsteller zu schlafen –, worauf D seinen Kandidaten fallen ließ, um N vorzuschlagen, wodurch der Teeheilige überspielt wurde und ebenfalls für N stimmen mußte. Drittens war N nichts als ein Spezialist in seinem Ressort und für D und G harmlos. Er war für A so unbedeutend, daß er nicht einmal einen Übernamen bekommen hatte.

Das traf freilich auch für den Außenhandelsminister E zu, der hinter G den Raum betreten und gleich Platz

genommen hatte – während der Chefideologe immer
noch neben dem unbeschwert grinsenden Parteisekretär
stand, verlegen lächelnd, die runde Schulmeisterbrille
reinigend, vom Landwirtschaftsminister I mit Klatsch
über den ersten Solotänzer belästigt –, E war weltmän-
nisch, elegant. Er trug einen englischen Anzug mit locker
gebüscheltem Kavalierstuch und rauchte eine amerikanische Zigarette. Der Außenhandelsminister war wie N
ungewollt Mitglied des Politischen Sekretariats geworden, der Machtkampf innerhalb der Partei hatte auch ihn
automatisch dem Führungsgremium entgegengeschoben,
andere, die ehrgeiziger gewesen waren als er, waren dem
Ringen um die vordersten Plätze und somit sich selber
zum Opfer gefallen, und so überstand E als Fachmann
jede Säuberung, was ihm von seiten A's den Spitznamen
›Lord Evergreen‹ eintrug. War N unfreiwillig der drei-
zehntmächtigste, war E ebenso unfreiwillig schon der
fünftmächtigste Mann des Imperiums. Einen Rückweg
gab es nicht. Ein falsches Verhalten, eine unvorsichtige
Äußerung konnten das Ende bedeuten, Verhaftung, Ver-
höre, Tod, weshalb sich E und N mit jedem gutstellen
mußten, der mächtiger war als sie oder ebenso mächtig
werden konnte. Sie hatten klug zu sein, die Gelegenhei-
ten wahrzunehmen, sich im Notfall zu ducken und die
menschlichen Schwächen der andern auszunutzen. Sie
waren zu vielem gezwungen, das unwürdig und lächerlich war.

Natürlicherweise. Die dreizehn Männer des Politischen
Sekretariats verfügten über eine ungeheuerliche Macht.
Sie bestimmten das Geschick des Riesenreiches, schick-
ten Unzählige in die Verbannung, in den Kerker und in

den Tod, griffen in das Leben von Millionen ein, stampf-
ten Industrien aus dem Boden, verschoben Familien und
Völker, ließen gewaltige Städte erstehen, stellten uner-
meßliche Heere auf, entschieden über Krieg und Frieden,
doch, da ihr Erhaltungstrieb sie zwang, einander zu
belauern, beeinflußten die Sympathien und Antipathien,
die sie füreinander empfanden, ihre Entscheidungen weit
mehr als die politischen Konflikte und die wirtschaftli-
chen Sachverhalte, denen sie gegenüberstanden. Die
Macht, und damit die Furcht voreinander – war zu groß,
um reine Politik zu treiben. Die Vernunft kam dagegen
nicht an.

Von den fehlenden Mitgliedern traten die beiden Marschälle ein, der Verteidigungsminister H und der Staatspräsident K, beide aufgeschwemmt, beide käsig, beide
steif, beide mit Orden bekleistert, beide alt und schwei-
ßig, beide nach Tabak, Schnaps und Dunhill-Parfum
stinkend, zwei mit Fett, Fleisch, Harn und Furcht prall
gestopfte Säcke. Sie setzten sich gleichzeitig nebeneinan-
der, ohne jemanden zu grüßen. H und K traten stets zu
zweit auf. A, auf das Lieblingsgetränk der beiden anspie-
lend, nannte sie die ›Gin-gis-Khane‹. Marschall K, der
Staatspräsident und Held des Bürgerkrieges, duselte vor
sich hin; Marschall H, ein militärischer Nichtskönner,
der sich nur durch seine parteipolitische Strammheit zum
Marschall durchgemausert hatte, indem er einen seiner
Vorgänger um den andern dem sich gutgläubig stellen-
den A als Hochverräter ans Messer lieferte, raffte sich
noch einmal auf, bevor er vor sich hinglotzte, schrie:
»Nieder mit den Feinden im Schoße der Partei!« und gab
damit zu, daß auch ihm die Verhaftung O's bekannt war.

Doch beachtete ihn keiner. Man war es gewohnt, die Furcht preßte Phrasen aus ihm. In jeder Zusammenkunft des Politischen Sekretariats sah er seinen Sturz kommen, erging er sich in Selbstanklagen und griff wild jemanden an, ohne je zu präzisieren, wen er damit meinte.

N starrte den Verteidigungsminister H an, auf dessen Stirne der Schweiß glitzerte, und fühlte, wie auch seine Stirne feucht zu werden begann. Er dachte an den Bordeaux, den er F schenken wollte, aber noch nicht schenken konnte, weil er ihn noch nicht besaß. Es hatte damit angefangen, daß der Parteichef D gerne Bordeaux trank und daß N vor drei Wochen anläßlich der internationalen Tagung der Postminister in Paris einige Weinlieferungen organisieren konnte; der Pariser Kollege mochte den einheimischen Schnaps, den ihm dafür N zukommen ließ. Nicht, daß N der einzige gewesen wäre, der den mächtigen D mit Bordeaux versorgte. Auch der Außenminister B tat es. Aber N's Gefälligkeit hatte doch zur Folge, daß er von B nun ebenfalls Bordeaux geschenkt bekam, aus dem einfachen Grunde, weil N, um nicht berechnend zu erscheinen, sich ebenfalls als Bordeaux-Liebhaber ausgab, obschon er sich aus Wein nichts machte. Als N jedoch entdeckte, daß der große nationale Schnapstrinker F, der Beherrscher der Schwerindustrie, den A den ›Schuhputzer‹ getauft hatte, auf Anraten seiner Ärzte, weil er Diabetiker war, heimlich nur Bordeaux konsumierte, zögerte er lange, auch F mit Bordeaux zu beschenken, weil er damit zugeben mußte, von F's Krankheit zu wissen. Doch sagte er sich, daß auch andere Mitglieder des Sekretariats davon wissen mußten. Er hatte sein Wissen vom Chef der Geheimpolizei C, und es

schien unwahrscheinlich, daß es anderen nicht mitgeteilt
worden war. Daher beschloß er doch, F eine Kiste Lafitte
45 zu überlassen. Der Minister der Schwerindustrie
revanchierte sich umgehend. Die Geschenke des Schuh-
putzers waren berüchtigt. N öffnete das Paket unvorsich-
tigerweise am Familientisch. Es enthielt eine Filmrolle,
die N, ahnungslos über ihren Inhalt und getäuscht durch
die Aufschrift ›Szenen aus der Französischen Revolution‹
auf Bitten seiner Frau und seiner vier Kinder im Heim-
kino vorführen ließ. Es war ein pornographischer Film.
Ähnliche Geschenke bekamen gelegentlich auch die
andern Mitglieder des Politischen Sekretariats, wie N
später erfuhr. Dabei wußte man, daß sich F aus Pornographie nichts machte. Er schenkte sie, um ein Druck-
mittel in der Hand zu haben, und tat so, als ob der
Beschenkte die Pornographie liebe. »Na, wie hat Ihnen
die kleine Schweinerei gefallen?« sagte er anderntags zu
N, »sie ist zwar nicht nach meinem Gusto, aber ich weiß,
daß Sie so was mögen.« N wagte keinen Widerspruch. Er
sandte dem Schuhputzer, um sich zu bedanken, eine
Kiste Château Pape Clément 34. So häufte sich beim
nüchternen und erotisch mäßigen N das pornographische
Material an, und gleichzeitig sah er sich gezwungen,
weiteren Bordeaux herbeizuschaffen, denn der Nachschub
aus Paris kam nur halbjährlich, und Flaschen, die ihm B
schenkte, F zuzustellen, wagte er nicht. Wohl waren der
Außenminister und der Minister für die Schwerindustrie
verfeindet, aber ein Frontwechsel konnte eintreten.
Schon oft waren unpersönliche Feinde durch plötzliche
gemeinsame Interessen unzertrennliche Freunde geworden. N war genötigt, den Außenhandelsminister E ins
Vertrauen zu ziehen. Es stellte sich heraus, daß auch

dieser die Wildsau und den Schuhputzer mit Bordeaux beschenkte. E vermochte zwar N durch seine Außenhandelsbeziehung zu helfen, doch nicht ständig. N vermutete, daß auch noch andere D und F beschenkten und von F mit belastendem Material belohnt wurden.

N gegenüber hatte die ›Parteimuse‹ M Platz genommen. Die Ministerin für Erziehung war blond und stattlich. Von ihren Brüsten weissagte einmal A während einer Sitzung des Gremiums, sie seien das Hochgebirge, von dessen Gipfeln der Parteichef zu Tode stürzen werde. Die Parteimuse erschien damals in besonders eleganter Aufmachung, und A drohte mit seiner plumpen Zote der Wildsau. D stand im Rufe, M's Liebhaber zu sein. Seitdem kam M zur Sitzung des Sekretariats nur noch in einem schlichten, grauen Jackettkleide. Daß sie jetzt in einem tief ausgeschnittenen, schwarzen Cocktailkleid auftrat, verwirrte N, um so mehr, als sie auch Schmuck trug. Der Anlaß dazu mußte ein besonderer sein. Auch sie mußte von O's Verhaftung wissen. Die Frage war nur, ob die Parteimuse sich durch ihr Kleid von D distanzieren wollte, indem sie sich unbekümmert gab, oder ob sie damit beabsichtigte, sich mit dem Mute der Verzweiflung demonstrativ als dessen Geliebte zu benennen. Vom Parteichef D bekam N keine Antwort, denn D schien M nicht zu beachten. Er saß jetzt an seinem Platz und studierte ein Schriftstück.

M's Kleiderwahl wurde noch zweideutiger, als nun der Schuhputzer den Raum betrat, F, der kleine dicke Minister für die Schwerindustrie. Er eilte, ohne sich um die andern zu kümmern, auf die Parteimuse zu und rief aus, Donnerwetter, das sei ein Kleid, entzückend, phan-

tastisch, etwas anderes als die ewige Kluft, die man
in der Partei trage. Zum Teufel mit den Uniformen. Alle
starrten F an, der weiterfuhr, weshalb man eigentlich
die Revolution durchgeführt, die Plutokraten und Blut-
sauger ausgetilgt und die Großbauern an die Kirsch-
bäume geknüpft hätte. »Um die Schönheit einzufüh-
ren«, schrie er und umarmte und küßte die Erziehungsministerin, als wäre sie eine Bauerndirne: »Dior den
Arbeitern!«, worauf er sich auf seinen Platz zwischen D
und H setzte, die beide von ihm abrückten, mußten sie
sich doch, wie N, sagen, daß der Minister für die
Schwerindustrie aus Galgenhumor handelte und offenbar damit rechnete, O's Verschwinden gelte dem Chefideologen und so auch ihm, wenn es auch möglich war,
daß F's Übermut nicht gespielt war, weil er sichere
Nachricht besaß, es sei mit dem Sturze des Parteisekretärs zu rechnen.

B trat auf. (Erst jetzt bemerkte N, daß sich der Chef der
Jugendgruppen P längst neben ihn gesetzt hatte, ein
blasser, bebrillter, ängstlicher, beflissener Parteimensch,
dessen Kommen unbemerkt geblieben war.) B ging ruhig
an seinen Platz, legte seine Aktentasche auf den Tisch
und setzte sich. Der Chefideologe und der Landwirtschaftsminister I, die immer noch standen, setzten sich
ebenfalls. Die Autorität des Außenministers B war unbe-
stritten, obgleich ihn alle haßten. Er war allen überlegen.
N bewunderte ihn eigentlich. War der Parteisekretär der
intelligente, organisatorische, war der Minister für die
Schwerindustrie der instinktiv listige Praktiker der
Gewalt, war der Chefideologe der Theoretiker, so war
der Außenminister ein kaum faßbares Element des

Machtkollektivs. Mit E und N war ihm die vollendete Beherrschung seines Sachgebiets gemeinsam. Er war ein idealer Außenminister. Doch im Gegensatz zu E und N war er in der Partei mächtig geworden, ohne sich jedoch wie D und G in innere Kämpfe zu verwickeln. Er war auch außerhalb der Partei einflußreich und kannte nichts als seine Aufgabe. Das machte ihn mächtig. Er war nicht treulos, doch ging er keine Bindung ein, auch persönlich war er Junggeselle geblieben. Er aß mäßig und trank mäßig, bei Banketten ein Glas Sekt, das war alles. Sein Deutsch, sein Englisch, sein Französisch, sein Russisch, sein Italienisch waren perfekt, seine Studie über Mazarin und seine Darstellung der frühindischen Großstaaten in viele Sprachen übersetzt, ebenso sein Essay über den chinesischen Zahlenbegriff. Auch kursierten Übersetzungen von Rilke und Stefan George von ihm. Am berühmtesten war jedoch seine ›Umsturzlehre‹, weshalb man ihn auch den Clausewitz der Revolution nannte. Er war unentbehrlich, und aus diesem Grunde haßte man ihn. Besonders A war er verhaßt, der ihn den ›Eunuchen‹ nannte, eine Bezeichnung, die jeder übernommen hatte, doch nicht einmal A wagte ihn, war B anwesend, so zu nennen. A nannte ihn dann nur ›Freund B‹, oder, war er außer sich, ›unser Genie‹. B dagegen sprach das Gremium mit ›meine Dame, meine Herren‹ an, als spräche er in einem bürgerlichen Verein. »Meine Dame, meine Herren«, begann er denn auch, kaum hatte er sich gesetzt und gegen seine Gewohnheit unaufgefordert zu reden: »Meine Dame, meine Herren, es mag vielleicht interessieren, der Atomminister O ist nicht erschienen.« Schweigen. B entnahm der Aktentasche einige Papiere, begann sie durchzulesen und sagte nichts mehr. N

spürte, wie sich alle fürchteten. Die Verhaftung O's war
kein Gerücht. Etwas anderes konnte B nicht gemeint
haben. Er hätte immer gewußt, daß O ein Verräter sei,
verkündete der Staatspräsident K, O sei ein Intellektuel-
ler, und alle Intellektuellen seien Verräter, und Marschall
H brüllte aufs neue: »Nieder mit den Feinden im Schoße
der Partei!« Die beiden Gin-gis-Khane waren die einzigen, die reagierten, die andern taten gleichgültig, außer
D, der allen vernehmbar »Idioten« sagte, doch schienen
es die andern nicht zu beachten. Die Parteimuse öffnete
die Handtasche und puderte sich. Der Außenhandelsminister studierte Akten, der Minister für Schwerindustrie
seine Fingernägel, der Landwirtschaftsminister starrte
vor sich hin, der Chefideologe machte Notizen, und der
Minister für Transport L schien das zu sein, als was man
ihn bezeichnete, ein unbewegliches Denkmal.

A und C betraten das Sitzungszimmer. Nicht durch die
Türe, die sich hinter dem Minister für die Schwerindustrie und jenem für die Verteidigung befand, sondern
durch jene, die hinter dem Chefideologen und dem
Landwirtschaftsminister gelegen war. C trug, wie immer,
einen nachlässigen, blauen Anzug, A war in Uniform,
doch ohne Orden. C setzte sich, A blieb hinter seinem
Sessel stehen und stopfte behutsam seine Pfeife. C hatte
seine Karriere in der Jugendorganisation begonnen und
es bis zum Chef gebracht, dann wurde er von seinem
Posten entfernt. Nicht aus politischen Gründen, die Kla-
gen waren anderer Art. Darauf blieb er verschwunden.
Gerüchte besagten, er habe in einem Straflager vegetiert,
niemand wußte Näheres: plötzlich war er wieder da und
gleich Chef der Geheimpolizei. Daß er auch jetzt in

homosexuelle Affären verstrickt war, stand fest. A nannte ihn brutal seine ›Staatstante‹, doch wagte niemand mehr gegen C zu protestieren. C war hochgewachsen, leicht verfettet und kahl. Ursprünglich war er Musiker gewesen und besaß das Konzertdiplom. War B der Grandseigneur, war C der Bohemien des Gremiums. Seine Anfänge in der Partei blieben im Dunkeln. Die Grausamkeit seiner Methoden war berüchtigt, der Terror, den er verbreitete, offensichtlich. Er hatte Unzählige auf dem Gewissen, die Geheimpolizei war unter seiner Regie mächtiger, das Spitzelwesen verbreiteter denn je. Viele sahen in ihm einen Sadisten, viele widersprachen. Sie behaupteten, C bliebe keine andere Wahl, A habe ihn in der Hand. Gehorche C nicht, könne ihm aufs neue der Prozeß gemacht werden. Der Boss der Geheimpolizei sei in Wirklichkeit ein Ästhet, der seine Stellung verachte und sein Metier hasse und gezwungen sei, es auszuüben, um sein Leben und das seiner Freunde zu retten. Persönlich war C liebenswürdig. Er wirkte sympathisch, ja oft schüchtern. C, der seine Aufgabe innerhalb der Partei und im Staate am unerbittlichsten erfüllte, schien ein falscher Mann am falschen Platz zu sein und vielleicht gerade deshalb so brauchbar.

A dagegen war unkompliziert. Seine Einfachheit war seine Kraft. In der Steppe aufgewachsen, von Nomaden abstammend, war ihm die Macht kein Problem, Gewalt etwas Natürliches. Er lebte seit Jahren in einem bunkerartigen, schlichten Gebäude, das in einem Wald außerhalb der Hauptstadt versteckt war, von einer Kompanie bewacht und von einer alten Köchin bedient, die beide vom Landstrich herkamen, aus dem er stammte. Er kam

nur zu Besuchen fremder Staatsoberhäupter oder Parteichefs, zu seltenen Audienzen und zu den Sitzungen des
Politischen Sekretariats in den Regierungspalast, doch
hatte jedes Mitglied des Sekretariats einzeln dreimal in
der Woche in seinem Wohnsitz zum Rapport zu erscheinen, wo A den Herzitierten im Sommer in einer Veranda
mit Korbmöbeln und im Winter in seinem Arbeitszim-
mer empfing, das nichts als ein riesiges Wandgemälde,
sein Heimatdorf darstellend, mit einigen Bauern belebt,
und einen noch riesigeren Schreibtisch enthielt, hinter
dem er saß, während der Besucher stehen mußte. A war
viermal verheiratet gewesen. Drei seiner Frauen waren
gestorben, von der vierten wußte niemand, ob sie noch
lebe und, falls sie noch lebte, wo sie lebte. Außer seiner
Tochter besaß er keine Kinder. Manchmal ließ er Mädchen aus der Stadt kommen, denen er nur zunickte und
die nichts zu tun hatten, als neben ihm zu sitzen und
stundenlang amerikanische Filme anzuschauen. Dann
schlief er in seinem Lehnstuhl ein, und die Mädchen
konnten gehen. Auch ließ er jeden Monat in der Stadt das
Nationalmuseum zusperren und wanderte allein stundenlang durch die Säle. Doch betrachtete er nie die
Werke der modernen Kunst. Er stand andächtig vor
spätbürgerlichen, historischen Riesenschinken, vor
Schlachtengemälden, vor finsteren Kaisern, die ihre
Söhne zum Tode verurteilten, vor Orgien betrunkener
Husaren und vor von Pferden gezogenen Schlitten, die
von Wölfen verfolgt über die Steppen fegten. Ebenso
primitiv war sein musikalischer Geschmack. Er liebte
sentimentale Volkslieder, die ihm bei seinem Geburtstag
der Trachtenchor seines Heimatortes vorsingen mußte.

A pfaffte vor sich hin und betrachtete nachdenklich die

Sitzenden. N wunderte sich immer wieder, wie schmächtig und unscheinbar A in Wirklichkeit war, auf den Fotos und in der Television schien er breit und gedrungen. A setzte sich und begann zu sprechen, langsam, stockend, umständlich, sich wiederholend, penetrant logisch. Er fing mit einer allgemeinen Betrachtung an. Die zwölf übrigen Mitglieder des Politischen Sekretariats und der Anwärter P saßen unbeweglich, maskenhaft, lauernd. Sie waren gewarnt. Wenn A etwas plante, begann er mit umständlichen Betrachtungen über die Entwicklung der Revolution. Es war, als ob er weit ausholen müßte, um seine tödlichen Schläge anzubringen. So führte er denn auch jetzt aus, was er immer dozierte. Das Ziel der Partei sei die Veränderung der Gesellschaft, das Erreichte sei gewaltig, die Grundsätze, welche die neue Ordnung ermöglichten, seien durchgesetzt, aber noch seien sie den Menschen nicht natürlich, sondern erst aufgezwungen, noch denke das Volk in alten Kategorien, befangen in Aberglauben und Vorurteilen, verseucht vom Individualismus, noch versuche es immer wieder aus der neuen Ordnung auszubrechen und einen neuen Egoismus zu installieren, noch sei es nicht erzogen, noch sei die Revolution Sache der Wenigen, noch allein Sache der revolutionären Köpfe und noch zu wenig Sache der Massen, die zwar den Weg der Revolution eingeschlagen hätten, jedoch ebenso leicht wieder davon abkommen könnten. Noch könne sich die revolutionäre Ordnung nur durch Gewalt behaupten, die Revolution sich nur durch die Diktatur der Partei durchsetzen, aber auch die Partei würde zerfallen, wäre sie nicht von oben nach unten organisiert worden, so daß die Schaffung des Politischen Sekretariats eine geschichtliche Notwendigkeit gewesen

sei. A unterbrach seine Ausführungen und beschäftigte
sich mit seiner Pfeife, setzte sie aufs neue in Brand. Was
A dozierte, dachte N, sei populäre Parteidoktrin, warum
es auch immer wie in einer Parteischule zugehen müsse,
bevor das Eigentliche, das Gefährliche komme, überlegte
er. Es gehe formelhaft zu, wo man sich auch befinde. Wie
ein endloses Gebet würden die politischen Maximen
heruntergeleiert, mit denen A im Namen der Partei seine
Macht begründe. Inzwischen kam A jedoch zur Sache.
Er holte zum Schlag aus. Jeder erzielte Fortschritt in
Richtung auf das Endziel, dozierte A, scheinbar harmlos,
ohne die Stimme zu verändern, verlange eine Änderung
der Partei. Der neue Staat habe sich bewährt, die Ministe-
rien seien durch die Sachgebiete gegeben, der neue Staat
sei seinem Inhalte nach fortschrittlich, seiner Form nach
diktatorisch. Er sei der Ausdruck der praktischen Not-
wendigkeiten gegen innen und außen, denen man gegen-
überstehe; den praktischen Bedürfnissen entgegengesetzt
sei jedoch die Partei als ein ideologisches Instrument
berufen, den Staat, komme die Zeit, zu verändern: der
Staat könne sich als eine gegebene Größe nicht revolutio-
nieren, das könne nur die Partei, die den Staat kontrolliere. Von ihr allein könne eine Veränderung des Staates
nach den Bedürfnissen der Revolution erzwungen werden: gerade deshalb dürfe die Partei nicht unwandelbar
sein, ihre Struktur müsse sich nach den erreichten Etap-
pen der Revolution richten. Jetzt sei die Struktur der
Partei noch hierarchisch und von oben gelenkt, was der
Kampfzeit entspreche, in der sich die Partei befunden
habe; die Kampfzeit sei jedoch vorüber, die Partei habe
gesiegt, die Macht befinde sich bei ihr, der nächste Schritt
sei die Demokratisierung der Partei, der damit eine

Demokratisierung des neuen Staates einleite: demokratisiert werden könne die Partei jedoch nur, indem man das Politische Sekretariat abschaffe und seine Macht einem erweiterten Parteiparlament delegiere, denn der einzige Zweck des Politischen Sekretariats habe darin bestanden, die Partei als eine tödliche Waffe gegen die alte Ordnung einzusetzen, eine Aufgabe, die erfüllt worden sei, die alte Ordnung bestehe nicht mehr, weshalb man nun das Politische Sekretariat liquidieren könne.

N erkannte die Gefahr. Sie bedrohte indirekt alle und direkt keinen. A's Vorschlag war überraschend. Nichts hatte darauf hingewiesen, daß A einen solchen Vorschlag machen würde, der Vorschlag entsprach einer Taktik, die mit dem Unverhofften arbeitete. A's Ausführungen waren zweideutig, seine Absichten eindeutig. Seine Rede war scheinbar logisch gewesen, im traditionell revolutionären Stil der Revolution gehalten, zugeschliffen in den unzähligen geheimen und öffentlichen Versammlungen der Kampfzeit. In Wirklichkeit aber hatte die Rede einen Widerspruch enthalten, und in diesem Widerspruch war die Wahrheit versteckt gewesen: A wollte die Partei entmachten, indem er sie demokratisierte, ein Vorgang, der ihm die Möglichkeit zuspielte, das Politische Sekretariat zu stürzen und seine Alleinherrschaft endgültig zu installieren. Getarnt durch ein Scheinparlament würde er dadurch mächtiger denn zuvor, weshalb er denn auch zu Beginn von der Notwendigkeit der Gewalt gesprochen hatte. Daß eine neue Säuberung drohte, war zwar nicht sicher. Die Auflösung des Politischen Sekretariats konnte auch ohne Säuberung vor sich gehen. Aber A neigte dazu, jene Elemente zu liquidieren, die er verdächtigte oder die verdächtigt wurden, seiner Alleinherrschaft Widerstand entgegenzusetzen. Daß A diese Elemente im Politischen Sekretariat vermutete, war durch die Verhaftung O's wahrscheinlich. Doch bevor sich N zu überlegen vermochte, ob er für A eine Gefahr darstelle oder nicht und inwieweit mit der Auflösung des Politischen Sekretariats auch sein Sturz als Postminister möglich sei – zu seinen Gunsten konnte er im Moment nur die Briefmarken zur Friedenskonferenz anführen –, geschah etwas Unerwartetes.

A hatte eben seine Pfeife ausgeklopft, was immer als Zeichen galt, daß er die Sitzung des Politischen Sekretariats für beendet hielt und keine Diskussion wünschte, als der Transportminister L das Wort ergriff, ohne sich vorher gemeldet zu haben. Der Transportminister erhob sich mühsam. Seine Trunkenheit hatte offenbar zugenommen. Er wies darauf hin, leicht lallend und zweimal ansetzend, daß O fehle und daß darum die Sitzung des Politischen Sekretariats noch gar nicht habe beginnen können. Es sei schade um A's prächtige Rede, aber Satzung sei Satzung, auch für Revolutionäre. Alle starrten das Denkmal entgeistert an, das, über den Tisch geneigt, die Arme aufgestützt und trotzdem schwankend, A kampflustig musterte, das Gesicht mit den weißen, buschigen Augenbrauen und den grauen Bartstoppeln, bleich und maskenhaft. L's Einwand war unsinnig, wenn auch formell richtig. Der Unsinn lag darin, daß der Einwand überflüssig war, durch A's ausführliche Rede hatte die Sitzung schon begonnen, und er lag darin, daß der Transportminister mit seinem Protest so tat, als wisse er nichts von O's und von seiner eigenen möglichen

bevorstehenden Verhaftung. Was N jedoch stutzig machte, war der schnelle Blick, den A, die Pfeife wieder
stopfend, C zuwarf. Im Blicke A's lag ein seltsames
Erstaunen, das N vermuten ließ, A wisse als einziger
nicht, daß alle von O's Verhaftung wußten, worauf sich
die Frage aufdrängte, ob nicht die Nachricht von O's
Verhaftung vom Chef der Geheimpolizei selber stamme
und gegen den Willen A's erfolgt sei, aber auch, ob der
Außenminister B, der allen andern Mitgliedern des Politischen Sekretariats gegenüber O's Nichterscheinen
erwähnt hatte, nicht mit C ein Bündnis geschlossen
haben könnte. Die Vermutungen N's wurden durch A's
Entgegnung nicht völlig widerlegt. Es sei gleichgültig,
antwortete nämlich A, vor sich wieder Wolken seines
englischen Tabaks Balkan Sobranie Smoking Mixture
hinpaffend, es sei gleichgültig, ob O erschienen sei oder
nicht, und auch der Grund seines Fehlens spiele keine
Rolle, O sei bloß ein nicht stimmberechtigter Anwärter,
und die gegenwärtige Sitzung habe nichts als die Auflösung des Politischen Sekretariats zu beschließen, was sie
beschlossen habe, da sich keine Gegenstimme erhoben
hätte, ein Beschluß, wozu O's Anwesenheit nicht vonnöten gewesen sei.

L, plötzlich entmutigt und müde, wie es bei Betrunkenen
vorkommt, wollte wieder in den Sessel zurücksinken, als
der Boss der Geheimpolizei C trocken bemerkte, der
Atomminister hätte offenbar wegen einer Erkrankung
nicht kommen können, eine schamlose Lüge, die, falls C
wirklich die Nachricht von O's Verhaftung verbreitet
hatte, nur beabsichtigen konnte, L wiederum zu reizen,
um dessen Verhaftung vorzubereiten. »Krank?« schrie

denn auch L, sich auf den linken Vorderarm stützend und mit der rechten Faust auf den Tisch trommelnd, »krank, wirklich krank?« – »Wahrscheinlich«, bemerkte C aufs neue kaltblütig und ordnete irgendwelche Papiere. L ließ ab, mit der Faust auf den Tisch zu schlagen, setzte sich, stumm vor Wut. In der Türe, hinter F und H, erschien der Oberst, was gegen jede Gewohnheit war, niemand hatte während der Sitzung des Politischen Sekretariats das Recht, das Zimmer zu betreten. Der Auftritt des Obersts mußte etwas Besonderes ankündigen, einen Alarm, ein Unglück, eine Meldung von größter Wichtigkeit. Um so überraschender war es daher, als der Oberst nur gekommen war, L zu bitten, in einer dringlichen persönlichen Angelegenheit hinauszukommen.– Er solle verschwinden, schnauzte L den Oberst an, der zögernd gehorchte, nicht ohne den Chef der Geheimpolizei anzublicken, als ob er von ihm Hilfe erwarte, doch war C immer noch mit seinen Papieren beschäftigt. A lachte, L habe wohl wieder einmal zu viel gesoffen, meinte er gutmütig in seiner jovialen, groben Sprache, die er dann gebrauchte, wenn er guter Laune war, L solle machen, daß er rauskomme, und seine privaten Angelegenheiten erledigen, ob irgendeine seiner Mätressen niedergekommen sei? Alles lachte dröhnend, nicht weil man A's Worte komisch fand, aber die Spannung war so groß, daß jeder einen Ausweg suchte, auch wollte man unbewußt L den Rückweg erleichtern. A ließ durch die Sprechanlage den Oberst wieder hereinbitten. Der Oberst erschien aufs neue. Was denn geschehen sei, fragte A. Die Frau des Transportministers liege im Sterben, entgegnete der Oberst salutierend. »Hauen Sie wieder ab«, sagte A. Der Oberst verschwand. »Geh, L!«

sagte A, »das mit den Mätressen ist ein grober Scherz gewesen, ich nehme ihn zurück. Ich weiß, deine Frau war für dich wichtig. Geh zu ihr, die Sitzung ist ohnehin beendet.« So menschlich A's Worte klangen, die Furcht des Transportministers war zu groß, er glaubte ihnen nicht. Das Denkmal kannte in seiner Verweiflung und in seiner Trunkenheit nur noch die Flucht nach vorne. Er sei ein alter Revolutionär, schrie er, sich wieder in die Höhe stemmend, seine Frau sei zwar im Spital, das wüßten alle, aber sie habe die Operation gut überstanden, er gehe nicht in die Falle. Von Anbeginn sei er in der Partei gewesen, vor A, vor C und vor B, die nur erbärmliche Emporkömmlinge seien. Er habe schon in einer Zeit für die Partei gewirkt, wo es gefährlich gewesen sei, in ihr zu sein, lebensgefährlich. Er habe in erbärmlichen, stinkenden Zuchthäusern gesessen, wie ein Tier angekettet, und Ratten hätten nach seinen blutigen Fußgelenken geschnappt. Ratten, schrie er immer wieder, Ratten! Seine Gesundheit habe er ruiniert im Dienste der Partei, er sei um ihretwillen zum Tode verurteilt worden. »Das Erschießungskommando war schon aufmarschiert, Genossen«, heulte er, »es stand mir schon gegenüber.« Nach seiner Flucht, lallte er weiter, sei er untergetaucht, immer wieder sei er untergetaucht, bis die große Revolution gekommen sei, bis er an der Spitze der Revolutionäre mit einem Revolver und einer Handgranate den Palast gestürmt habe. »Mit einem Revolver und einer Handgranate habe ich Geschichte gemacht, Weltgeschichte«, brüllte er und war nicht mehr zu bändigen, seine Verzweiflung und seine Wut hatten etwas Großartiges; obgleich versoffen und heruntergekommen, schien er jetzt wieder der alte, berühmte Revolutionär geworden

zu sein, der er einst gewesen war. Er habe gegen eine
verlogene und korrupte Ordnung gekämpft und für die
Wahrheit sein Leben eingesetzt, fuhr er in seiner wilden
Tirade fort. Er habe die Welt verändert, um sie besser zu
machen, es habe ihm nichts ausgemacht, zu leiden und zu
hungern, verfolgt und gefoltert zu werden, er sei stolz
darauf gewesen, denn er habe gewußt, auf der Seite der
Armen und der Ausgebeuteten zu stehen, und es sei ein
herrliches Gefühl gewesen, auf der richtigen Seite zu
stehen, doch jetzt, wo der Sieg errungen worden sei, wo
die Partei die Macht übernommen habe, jetzt stehe er auf
einmal nicht mehr auf der richtigen Seite, auf einmal
stehe auch er auf der Seite der Mächtigen. »Die Macht hat
mich verführt, Genossen«, rief er aus, »zu welchen Verbrechen habe ich nicht schon geschwiegen, welchen von
meinen Freunden habe ich nicht schon verraten und der
Geheimpolizei ausgeliefert? Soll ich weiter schweigen?«
O sei verhaftet worden, fuhr er fort, plötzlich bleich,
erschöpft und leise, das sei die Wahrheit, die allen
bekannt sei, und er verlasse nicht den Raum, weil man
auch ihn im Vorzimmer verhaften wolle, weil das angeb-
liche Sterben seiner Frau nur eine Lüge sei, um ihn aus
dem Sitzungszimmer zu locken. Mit diesen Worten, die
einen Verdacht aussprachen, der für alle nicht unbegrün-
det war, ließ er sich in den Sessel zurückfallen.

Während so L in tollem Trotze aufbegehrte, im Bewußt-
sein seiner hoffnungslosen Lage, enthemmt von jeder
Vorsicht, die ihm nutzlos erscheinen mußte; während
alle versteinert dem gespenstischen Schauspiel beiwohn-
ten, das ein Riese bei seinem Untergang darbot; während
in jeder Pause, zwischen den ungeheuerlichen Sätzen, die

L ausstieß, Marschall H aus jämmerlicher Furcht, in den
Untergang des Denkmals hineingerissen zu werden,
immer wieder »Nieder mit den Feinden im Schoße der
Partei« schrie; während der Staatspräsident endlich, Marschall K, kaum hatte L geendet, eine überschwengliche
Erklärung seiner immerwährenden Treue A gegenüber
abgab; während all dieser Vorgänge überlegte sich N, wie
sich nun wohl A verhalten würde. A saß gelassen da und
rauchte seine Pfeife. Es war ihm nichts anzumerken. Und
doch mußte etwas in ihm vorgehen. N war sich zwar
noch nicht darüber im klaren, inwieweit L's Protest A
bedrohen konnte, doch fühlte er, daß A's Überlegungen
für dessen zukünftige Stellung und für die zukünftige
Entwicklung der Partei entscheidend sein würden und
daß man vor einem Wendepunkt stehe, nur wußte N
nicht, vor welchem Wendepunkt, ebensowenig, wie er
über das Vorgehen A's eine Voraussage wagte. A war ein
gerissener Taktiker, seinen verblüffenden Schachzügen
im Spiel um die Macht war niemand gewachsen, nicht
einmal B. Er war ein instinktiver Menschenkenner, der
die Schwäche eines jeden Rivalen kannte und ausnützte,
er verstand sich auf den Menschenfang und die Men-
schenjagd wie kein anderer im Politischen Sekretariat,
aber er war nicht der Mann des offenen Zweikampfes, er
brauchte den Kampf im Versteckten, den Angriff aus
dem Unvermuteten. Seine Fallen legte er im Dschungel
der Partei mit ihren tausendfältigen Abteilungen und
Unterabteilungen, Zweigen und Nebenzweigen, Gruppen, Obergruppen und Untergruppen; einen offenen
Widerspruch, einen Angriff von Mann zu Mann mußte er
schon lange nicht mehr erlebt haben. Die Frage war, ob
A sich aus der Fassung bringen ließ, ob er die Übersicht

verlieren, ob er voreilig handeln, ob er die Verhaftungen
zugeben oder weiterhin leugnen würde, alles Fragen, die
N nicht zu beantworten vermochte, weil er selber nicht
wußte, was er anstelle A's hätte tun sollen; doch kam N
nicht dazu, seine Mutmaßungen über A's wahrscheinli-
ches Verhalten fortzusetzen, denn kaum hatte Marschall
K seine erste Atempause gemacht, Kraft zu holen, um in
seiner Ergebenheitserklärung A gegenüber noch enthu-
siastischer zu werden, als F ihn unterbrach und zu reden
begann. Eigentlich hatte F nicht nur den Staatspräsidenten K unterbrochen, sondern auch unfreiwillig A, der,
als K eine Pause machte, die Pfeife aus dem Munde
genommen hatte, um wohl L endlich zu entgegnen, doch
F, der es nicht bemerkte oder nicht bemerken wollte, war
schneller. Er begann zu reden, bevor er noch aufgestan-
den war, dann stand er unbeweglich, klein, dick,
unglaublich häßlich, mit Warzen im Gesicht, die Hände
vor den Bauch gefaltet, wie ein plumper, betender Bauer
im Sonntagsgewand, und redete und redete. N wußte
sofort warum. Die Ruhe des Ministers für die Schwerindustrie täuschte. Der Schuhputzer handelte aus purem
Entsetzen über L's Vorgehen, er sah schon A's Zorn über
alle herfallen, die Verhaftung des gesamten Politischen
Sekretariats bevorstehen. Als Sohn eines Dorflehrers
hatte der Schuhputzer sich mühsam in der Provinz hoch-
gebüffelt. Früh in der Partei, wurde er verspottet, nie
ernst genommen, auf vielerlei Arten gedemütigt, als
Lakai eingesetzt, bis er doch hochkam (was viele büßen
mußten), weil er keinen Stolz hatte (den er sich nicht
leisten konnte), sondern nur Ehrgeiz, und weil er zu
allem fähig war, und nun war er zu allem fähig. Er
verrichtete die schmutzigsten Arbeiten (die blutigsten),

blind im Gehorsam, bereit zu jedem Verrat, in vielem der durchaus Schrecklichste der Partei, schrecklicher noch als A, der schrecklich durch seine Taten, aber bedeutend durch seine Person war. A war nicht deformiert, weder durch den Kampf, noch durch die Macht. A war, wie er war, ein Stück Natur, ein Ausdruck seiner mächtigen Gesetzmäßigkeit, durch sich selbst geformt und nicht durch andere. F war nur schrecklich, die Unwürde war ihm geblieben, er konnte sie nicht abschütteln, sie blieb an ihm haften, selbst die beiden Gin-gis-Khane wirkten neben ihm aristokratisch, selbst A, der ihn doch brauchte, nannte ihn öffentlich nicht nur Schuhputzer, sondern auch den Arschlecker; darum war jetzt auch seine Furcht größer als die Furcht der andern. F hatte alles getan, um nach oben zu kommen. Nun, am Ziel, sah er durch die wahnwitzigen Ausfälle L's seine unmenschlichen und unwürdigen Anstrengungen gefährdet, seine grotesken Selbstverleugnungen sinnlos und seine schamlosen Kriechereien vergeblich geworden; so mächtig hatte ihn die panische Angst befallen, daß er sogar, besinnungslos vor Furcht, A das Wort abgeschnitten hatte (wie nun N überzeugt war), doch F wollte wohl der Ergebenheitserklärung K's noch schnell, als könnte das ihn retten, die seine beifügen, das freilich auf seine Weise. Er lobte nicht A, wie es der Staatspräsident maßlos getan hatte, er griff noch maßloser L an. Er begann nach seiner Gewohnheit mit den ewigen Bauernsprüchen, die er sich angeeignet hatte, gleichgültig, ob sie paßten oder nicht. Er sagte: »Bevor der Fuchs angreift, werden die Hühner frech.« Er sagte: »Der Bauer wäscht sein Weib nur, wenn der Junker mit ihr schlafen will.« Er sagte: »Der Jammer kommt vor dem Galgen.« Er sagte: »Auch ein Groß-

bauer kann in die Jauchegrube fallen«, und er sagte: »Der
Bauer schwängert die Magd und der Knecht die Bäue-
rin.« Dann kam er auf den Ernst der Lage zu sprechen,
wohlweislich nicht auf den Ernst der innenpolitischen
Lage – als Minister der Schwerindustrie war er zu sehr in
sie verstrickt –, sondern auf jenen der außenpolitischen
Lage, wo er eine »tödliche Gefahr für unser liebes Vater-
land« aufziehen sah – um so verblüffender, als nach der
Friedenskonferenz die äußere Politik entspannter war als
sonst. Der internationale Großkapitalismus stünde wieder einmal bereit, die Revolution um ihre Früchte zu
bringen, und es sei ihnen schon gelungen, das Land mit
ihren Agenten zu durchsetzen. Von der Außenpolitik
ging er auf die Notwendigkeit der Disziplin über, aus der
Notwendigkeit der Disziplin folgerte er die Notwendigkeit des Vertrauens. »Genossen, wir sind alle Brüder,
Kinder der einen, großen Revolution!« Dann behauptete
er, dieses notwendige Vertrauen sei ohne Notwendigkeit
von L verletzt worden, der an A's Worten gezweifelt
habe, indem er, entgegen der Versicherung A's, zu glauben vorgebe, der erkrankte O sei verhaftet, ja das Mißtrauen des Transportministers, »dieses Denkmals, das
schon lange ein Schandmal geworden sei«, gehe so weit,
daß er nicht einmal das Sitzungszimmer zu verlassen
wage, um seiner sterbenden Frau beizustehen, eine Un-
menschlichkeit, die jeden Revolutionär, dem die Ehe
noch heilig sei – und wem sei sie nicht heilig –, entsetzen
müsse. Ein solcher Verdacht beleidige nicht nur A, er
schlage auch dem Politischen Sekretariat ins Gesicht (N
überlegte: A hatte nichts von O's angeblicher Krankheit
gesagt. Diese Lüge stammte vom Sicherheitsminister C,
indem F die Lüge A zuschob, legte er A fest, ein weiterer

Fehler, der bloß aus der erbärmlichen Furcht des Ministers für Schwerindustrie zu erklären war – doch hatte hier N im gleichen Augenblick den Verdacht, vielleicht sei O's Krankheit die Wahrheit und dessen Verhaftung eine Lüge, ausgestreut, um das Politische Sekretariat zu verwirren, einen Verdacht, den N jedoch, auch im gleichen Augenblick, wieder fallenließ.) Der Schuhputzer unterdessen, unbesonnen, ließ sich vom Versuch, sich in Sicherheit zu bringen, hinreißen, nun auch seinen alten Feind D anzugreifen, wohl, weil er glaubte, zusammen mit dem Transportminister L müsse der Parteisekretär D automatisch fallen, ohne zu bedenken, daß der Transportminister politisch längst von allen abgeschrieben worden war, D sich dagegen in einer Stellung befand, aus der man ihn nicht entfernen konnte, ohne die Partei und den Staat schwer zu erschüttern. Aber diese Erschütterung war offenbar für F schon eine Tatsache, sonst wäre ihm aufgefallen, daß sich während seiner Attacke sogar der Verteidigungsminister H still verhielt und ihn nicht unterstützte. Der Schuhputzer schrie, wenn die Bauern hungerten, mäste sich der Pfarrer, schrie, wenn der Junker kalte Füße habe, brenne er ein Dorf nieder, behauptete, D verrate die Revolution, indem er sie einschlafen lasse, und habe die Partei in einen bürgerlichen Verein verwandelt. In seinem verzweifelten Übermut ging F noch weiter. Er griff nach D auch dessen Verbündete an, machte sich über die Erziehungsministerin lustig, als Jungfrau gehe man ins Haus eines Pferdehändlers und als Hure komme man wieder heraus, sei ein altes Bauernsprichwort, und für den Außenminister B gelte, wer sich mit einem räudigen Wolf befreunde, werde selber ein räudiger Wolf; doch wurde F, bevor er ein

weiteres Bauernsprichwort zitieren konnte und bevor er
dazu kam, seine Anschuldigungen zu präzisieren, vom
Oberst unterbrochen. Der blonde Offizier betrat zur
allgemeinen Verblüffung zum zweitenmal das Sitzungszimmer, salutierte, überreichte dem Minister für die
Schwerindustrie einen Zettel, salutierte aufs neue stramm
und verließ das Sitzungszimmer.

F, überrascht durch den Unterbruch und eingeschüchtert
durch das militärische Schauspiel, wurde unsicher, überflog den Zettel, knüllte ihn zusammen, steckte ihn in die
rechte Seitentasche, murmelte, er habe es nicht so
gemeint, setzte sich, von einem jähen Mißtrauen erfaßt,
wie N spürte, und schwieg. Die andern rührten sich
nicht. Das erneute Erscheinen des Obersts war zu unge-
wöhnlich gewesen. Es schien inszeniert zu sein. Der
Zwischenfall war bedrohlich. Nur M, die F während
seiner Rede scharf gemustert hatte, tat, als ob nichts
geschehen wäre. Sie öffnete ihre Handtasche und puderte
sich, was sie sonst im Verlaufe einer Sitzung noch nie
gewagt hatte. A sagte immer noch nichts, griff immer
noch nicht ein, schien immer noch gleichgültig. B und C,
einander gegenüber, die A am nächsten saßen, blickten
sich an, schnell und wie zufällig, wie N bemerkte, der
Außenminister strich sich dabei über seinen sorgfältig
gestutzten Schnurrbart. Der Chef der Geheimpolizei
schob seine Seidenkrawatte zurecht und fragte kühl, ob F
mit dem Unsinn zu Ende sei, das Sekretariat habe zu
arbeiten. N überlegte aufs neue, ob nicht B und C im
geheimen verbündet sein könnten. Sie galten als Feinde,
doch hatten sie vieles gemeinsam: die Bildung, die Über-
legenheit, ihre Abstammung von bekannten Familien des

Landes. C's Vater war Minister in einer bürgerlichen Regierung gewesen, und B war der illegitime Sohn eines Fürsten, auch hielten ihn einige wie C für homosexuell. Die Möglichkeit einer geheimen Übereinkunft zwischen den beiden fiel N jedoch auch darum zum zweiten Mal ein: mit dem Vorwurf, den C an den Minister für die Schwerindustrie richtete, kam er offensichtlich B zu Hilfe und nicht nur dem Außenminister, auch D und M, sogar L wurden von ihm unterstützt. F, verwirrt durch diese Niederlage, um so mehr als er wohl geglaubt hatte, C auf seiner Seite zu finden, antwortete kleinlaut, er müsse ins Ministerium telefonieren, dringend, es sei ihm peinlich, irgendeine unglückliche Angelegenheit verlange seine Entscheidung. A erhob sich. Er ging gemächlich zum Buffet hinter ihm, schenkte sich sorgfältig Kognak ein, blieb stehen. Er sagte, telefonieren könne F im Vorzimmer und auch L solle schleunigst verschwinden und wenigstens ins Spital telefonieren, er ordne einen Unterbruch der Sitzung für fünf Minuten an, denn, daß die Sitzung nach diesen läppischen und rein persönlichen Angriffen nicht abgebrochen werden könne, verlange die Parteidisziplin, doch dann wolle er nicht mehr gestört werden, wer denn dieser Esel von einem Oberst sei. Ein Stellvertreter, antwortete der Chef der Geheimpolizei, der alte Oberst sei im Urlaub, aber er werde den Kerl noch einmal informieren. Er zitierte den Oberst durch die Sprechanlage herbei. C befahl dem Oberst, der salutierend wieder erschien, er solle sich nicht mehr blicken lassen, komme was da wolle. Der Oberst zog sich zurück. Weder F noch L verließen den Raum, sie blieben sitzen, als ob nichts geschehen wäre. D grinste den Minister für die Schwerindustrie an, erhob sich, trat zu A

und goß sich ebenfalls Kognak ein, fragte, was denn nun
sei, warum F nicht ins Vorzimmer gehe, zum Teufel,
wenn das Ministerium für die Schwerindustrie schon eine
Sitzung des Politischen Sekretariats stören lasse, müsse
doch dort die Hölle los sein; es sei zwar lobenswert, wie
seinem Freunde F das Wohl des Staates und der Revolution am Herzen liege, aber gerade für dieses Wohl sei es
wünschenswert, wenn er sich endlich um seine Pflicht
kümmere und sich schleunigst mit seinem Amte in Ver-
bindung setze, es sei niemand gedient, wenn die Schwerindustrie in Unordnung gerate.

N überlegte. Das Wichtigste schien ihm, daß A sich
plötzlich entschlossen hatte, die Sitzung des Politischen
Sekretariats weiterzuführen. Der Hinweis auf die Partei-
disziplin war eine Phrase, das mußte jedem einleuchten.
Eine Abstimmung hatte bis jetzt noch nie stattgefunden,
man hatte schweigend zugestimmt, das Kräfteverhältnis
zwischen den beiden feindlichen Gruppen innerhalb des
Politischen Sekretariats war zu ausgeglichen gewesen.
Auch hatte es A jederzeit in der Hand, die Frage vor den
Parteikongreß zu bringen und das unpopuläre Politische
Sekretariat auf diese Weise öffentlich zu liquidieren. A's
Entschluß mußte einen andern Grund haben. Es mußte
ihm klar geworden sein, daß er einen Fehler gemacht
hatte, indem er gleichzeitig das Politische Sekretariat
hatte säubern und aufheben wollen. Er hätte es zuerst
säubern und dann aufheben, oder erst aufheben und dann
die einzelnen Mitglieder liquidieren sollen. Nun stand er
einer Front gegenüber. Mit der Verhaftung O's hatte er
voreilig alle gewarnt, die Weigerung L's und F's, den
Raum zu verlassen, waren Zeichen, daß sich alle fürchte-

ten. Vor dem Parteikongreß war A frei und allmächtig, innerhalb des Politischen Sekretariats war er, wie alle andern Mitglieder, ein Gefangener des Systems. Hatte man Furcht vor A, so mußte A, wenn auch nicht Furcht, die er nicht kannte, so doch Mißtrauen haben. Den Parteikongreß einzuberufen, brauchte Zeit, während dieser Zeit blieben die Mitglieder des Politischen Sekretariats mächtig und konnten handeln. So mußte auch A handeln. Er mußte aufs neue sondieren, auf wen er zählen konnte oder nicht, und dann kämpfen. A's souveräne Menschenverachtung hatte nicht nur die Fronten durcheinander gebracht. Aus einem Geplänkel drohte unvermutet eine Entscheidungsschlacht zu werden.

Vorerst geschah nichts. Niemand handelte. F blieb sitzen, der Transportminister ebenfalls, das Gesicht in die Hände vergraben. N hätte sich gerne den Schweiß von der Stirne gewischt, doch wagte er es nicht. Neben ihm hatte P die Hände gefaltet. Es schien, als betete er, mit heiler Haut davonzukommen, wenn es auch unwahrscheinlich war, daß ein Mitglied des Politischen Sekretariats überhaupt betete. Der Außenhandelsminister E zündete sich eine seiner amerikanischen Zigaretten an. Der Verteidigungsminister H erhob sich, fand, leicht torkelnd, auf dem Buffet eine Flasche Gin, pflanzte sich neben A und B auf, prostete feierlich A zu: »Es lebe die Revolution« und bekam den Schluckauf, ohne in seiner Benommenheit zu beachten, daß A ihn nicht beachtete. M entnahm ihrer Handtasche ein goldenes Zigarettenetui, D ging zu ihr, hielt ihr sein goldenes Feuerzeug hin, blieb hinter ihr stehen. »Nun, ihr zwei«, fragte A gemächlich, »schlaft ihr eigentlich miteinander?« –

»Früher schliefen wir miteinander«, antwortete D unverfroren. A lachte, es sei immer gut, wenn seine Mitarbeiter sich verstünden, dann wandte er sich F zu. »Los, Schuhputzer«, kommandierte er, »los, Arschlecker, telefonieren!« F blieb sitzen. »Nicht draußen«, sagte er leise. A lachte aufs neue. Es war immer das gleiche langsame, fast gemütliche Lachen, das man von ihm vernahm, gleichgültig, ob er scherzte oder drohte, so daß man nie wußte, wie er es meinte. Er glaube wirklich, der Kerl habe Schiß, bemerkte er. »Stimmt«, antwortete F, »ich habe Schiß, ich fürchte mich.« Alle starrten F schweigend an, es war ungeheuerlich, seine Furcht zuzugeben. »Wir fürchten uns alle«, fuhr der Minister für die Schwerindustrie fort und blickte A ruhig an, »nicht nur ich und der Transportminister, alle.« »Unsinn«, entgegnete der Chefideologe G, erhob sich und ging zum Fenster. »Unsinn, purer Unsinn«, sagte er aufs neue mit dem Rücken gegen die anderen gekehrt. »Dann verlaß das Zimmer«, forderte ihn F auf. Der Chefideologe wandte sich um und starrte F mißtrauisch an. Was er draußen solle, fragte er. Der Chefideologe wage es auch nicht, hinauszugehen, stellte F gelassen fest. G wisse genau, daß er nur hier sicher sei. »Unsinn«, entgegnete G wieder, »Unsinn, purer Unsinn.« F blieb hartnäckig: »Dann geh hinaus«, forderte er den Teeheiligen aufs neue auf. G blieb am Fenster stehen. F wandte sich wieder A zu: »Siehst du, wir alle haben Schiß.« Er saß aufrecht in seinem Sessel, die Hände auf den Tisch gelegt, und alles Häßliche war von ihm gewichen. F sei ein Narr, sagte A, stellte das Kognakglas auf das Buffet zurück, kam zum Tisch. »Ein Narr«, antwortete F, »wirklich? Bist du so sicher?« Er sprach leise, was er sonst nie tat. Außer L befänden sich keine alten Revolutionäre mehr im Politischen Sekretariat, sagte er, wo sie geblieben seien? Dann zählte er die Namen der Liquidierten auf, sorgfältig, langsam, vergaß auch nicht die Vornamen, nannte Männer, die einmal berühmt gewesen waren, die die alte Ordnung gestürzt hatten. Es war seit langem zum ersten Mal, daß diese Namen wieder genannt wurden. N fröstelte. Er kam sich auf einmal wie auf einem Friedhof vor. »Verräter«, schrie A, »das waren Verräter, das weißt du genau, verdammter Arschlecker.« Er schwieg, wurde wieder ruhig, musterte den Schuhputzer nachdenklich. »Und du bist auch so ein Schwein«, sagte er daraufhin nebenbei. N wußte sofort, daß A einen weiteren Fehler begangen hatte. Natürlich war es eine Provokation gewesen, die Namen der alten Revolutionäre zu nennen, doch F war durch das Eingeständnis seiner Furcht ein Gegner geworden, den A hätte ernst nehmen sollen. Statt dessen ließ sich A hinreißen, ihn zu bedrohen, statt zu beruhigen. Ein freundliches Wort, ein Scherz hätte F zur Vernunft gebracht, doch A verachtete F, und weil er ihn verachtete, sah er keine Gefahr und wurde leichtsinnig. F dagegen konnte nicht mehr zurück. In seiner Verzweiflung hatte er alles aufs Spiel gesetzt und zeigte zur Überraschung aller Charakter. Er mußte kämpfen und war der natürliche Verbündete des Transportministers geworden –der es jedoch in seiner Apathie nicht realisierte. »Wer sich der Revolution entgegenstellt, wird vernichtet«, verkündete A, »alle sind vernichtet worden, die es versuchten.« Ob sie es wirklich versucht hätten, fragte der Schuhputzer unbeirrbar, das glaube A selber nicht. Die Männer, die er aufgezählt habe und die umgekommen seien, hätten die Partei gegründet und die Revolution durchgeführt. Sie hätten in vielem

geirrt, gewiß, aber Verräter seien sie nicht gewesen,
ebensowenig, wie jetzt der Transportminister ein Verräter sei. Sie hätten gestanden und seien durch die Gerichte
verurteilt worden, entgegnete A. »Gestanden!« lachte F,
»gestanden! Wie haben sie gestanden. Darüber soll uns
einmal der Chef der Geheimpolizei etwas erzählen!« A
wurde bösartig. Die Revolution sei ein blutiges Geschäft,
entgegnete er, es gebe Schuldige auch auf ihrer Seite und
wehe den Schuldigen. Wer an dieser Erkenntnis rüttle,
sei an sich schon ein Verräter. Im übrigen, höhnte er, sei
es sinnlos, zu diskutieren, dem Schuhputzer seien offenbar die schweinischen Schriften in den Kopf gestiegen,
die er unter seinen Kollegen verteile, indem er offensichtlich die Partei für ein Bordell halte, und A müsse F's
Freund, den Chefideologen G, doch sehr bitten, sich zu
überlegen, mit wem er verkehre. Mit dieser impulsiven
und unnötigen Drohung dem Teeheiligen gegenüber –
möglicherweise aus Ärger, daß es der Chefideologe auch
nicht gewagt hatte, den Raum zu verlassen – nahm A
wieder seinen Platz ein. Jene, die noch standen, setzten
sich ebenfalls, G als letzter. Er eröffne die Sitzung von
neuem, sagte A.

Der Teeheilige rächte sich unverzüglich. Vielleicht, weil
er glaubte, mit F zusammen in Ungnade gefallen zu sein,
vielleicht auch nur, weil ihn die unvorsichtige Rüge A's
beleidigte. Wie viele Kritiker, vertrug er keine Kritik.
Schon als Gymnasiallehrer veröffentlichte der Teeheilige in
unbedeutenden Provinzblättern literarische Kritiken von
einer derartigen parteitreuen Penetranz, daß ihn A, der
die meisten Schriftsteller des Landes als bürgerliche Intel-
ligenzler verachtete, zu Beginn der zweiten großen Säu-

berung in die Hauptstadt beorderte, wo G die kulturelle
Redaktion des Regierungsblattes übernahm und in kur-
zer Zeit mit immensem Bienenfleiß Literatur und Theater
des Landes zugrunde richtete, indem er nach dem
Schema der Ideologie die Klassiker für gesund und posi-
tiv, die Schriftsteller der Gegenwart für krank und nega-
tiv erklärte: so primitiv der Grundgedanke seiner Kritik
auch war, die Form, in der er sie darbot, war intellektuell
und logisch, der Teeheilige schrieb vertrackter als seine
literarischen und politischen Gegner. Er war allgewaltig.
Wen G verriß, war erledigt, kam nicht selten hinter
Stacheldraht oder verschwand. Persönlich war G von
einer nicht zu übertreffenden Biederkeit. Er war glücklich verheiratet, wie er jedem unter die Nase rieb, Vater
von acht, in regelmäßigen Abständen gezeugten Söhnen.
Er war in der Partei verhaßt, aber der große Praktiker A,
der sich gern als Theoretiker gab, schanzte dem Mittel-
schullehrer eine noch mächtigere Stellung zu. Er machte
ihn zum ideologischen Beichtvater der Partei, und so
war man denn im Politischen Sekretariat G's weitschwei-
figen Vorträgen wehrlos ausgesetzt, wenn auch einige
darüber offen spotteten, wie etwa B, der einmal nach
einer besonders langen Rede des Teeheiligen zur Außenpolitik meinte, der Chefideologe habe zwar dafür zu
sorgen, daß die Beschlüsse des Sekretariats nach außen-
hin politisch stubenrein begründet würden, aber könne
nicht verlangen, daß diese Begründung vom Sekretariat
auch noch geglaubt werden müsse. Doch tat man gut, G
nicht zu unterschätzen. Der Teeheilige war ein Macht-
mensch, der seine einmal errungene Position mit seinen
Mitteln verteidigte, wie es jetzt A erfahren mußte, denn
G verlangte als erster das Wort. Er dankte A für seine

Ausführungen zu Beginn der Sitzung, die den großen
Staatsmann verrieten. Seine Analyse über den Stand der
Revolution und den Zustand des Staates sei meisterhaft
gewesen und seine Folgerung zwingend, in diesem Zeit-
punkt der Entwicklung das Politische Sekretariat aufzu-
lösen. Als Ideologe habe G nur eine Bemerkung zu
machen. Wie A gezeigt habe, stehe man einem gewissen
Konflikt gegenüber, der darin liege, daß sich zwar die
Revolution dem Staate, in Wirklichkeit jedoch auch der
Partei gegenüber in einem Widerstreit befände. Die Revolution und die Partei seien nicht dasselbe, wie manche
glaubten. Die Revolution sei ein dynamischer Vorgang,
die Partei ein mehr statisches Gebilde. Die Revolution
ändere die Gesellschaft, die Partei installiere die verän-
derte Gesellschaft im Staat. Die Partei sei deshalb Träger
der Revolution und zugleich Träger der Staatsmacht.
Dieser innere Widerspruch verführe die Partei, sich
mehr dem Staate als der Revolution zuzuneigen, und
nötige die Revolution, die Partei immer wieder zu revo-
lutionieren; die Revolution entfache sich geradezu an
der menschlichen Unzulänglichkeit, die der Partei als
einem statischen Gebilde innewohne. So komme es, daß
die Revolution vor allem jene verschlingen müsse, die
im Namen der Partei Feinde der Revolution geworden
seien. Die Männer, die der Minister für die Schwerindustrie aufgezählt habe, seien ursprünglich echte Revolutionäre gewesen, sicher, keiner zweifle daran, doch
durch ihren Irrtum, die Revolution für abgeschlossen zu
halten, seien sie zu Feinden der Revolution geworden
und hätten als solche vernichtet werden müssen. Das sei
auch heute der Fall: indem das Politische Sekretariat alle
Macht an sich gerissen habe, sei die Partei bedeutungs-

los geworden und könne nicht mehr der Träger der
Revolution sein, aber auch das Politische Sekretariat sei
nicht mehr imstande, diese Aufgabe zu erfüllen, denn es
habe nur noch eine Beziehung zur Macht und keine
Beziehung mehr zur Revolution. Das Politische Sekretariat sei von der Revolution abgekapselt. Die Erhaltung
seiner Macht sei ihm wichtiger als die Veränderung der
Welt, weil jede Macht dazu neige, den Staat, den sie
beherrsche, und die Partei, die sie kontrolliere, zu stabili-
sieren. Der Kampf gegen das Politische Sekretariat sei
deshalb für den Fortgang der Revolution unumgänglich.
Diese Notwendigkeit müsse das Politische Sekretariat
einsehen und seine Selbstauflösung beschließen. Ein ech-
ter Revolutionär liquidiere sich selbst, schloß er seine
Rede. Auch liege gerade in der Furcht vor einer Säuberung, die einige Mitglieder des Politischen Sekretariats
befallen habe, der Beweis, daß eine solche Liquidierung
notwendig sei und daß sich das Politische Sekretariat
überlebt habe.

G's Rede war perfid. Der Teeheilige sprach nach seiner
Gewohnheit lehrerhaft, humorlos, trocken. N erkannte
erst allmählich G's List, mit abstrakten Sätzen A's
Absichten derart verschärft wiederzugeben, damit sich
das Politische Sekretariat zur Wehr setzen mußte. Die
Säuberung, die alle befürchteten, stellte der Teeheilige als
einen notwendigen Prozeß dar, der schon begonnen
hatte. Indem er den Untergang der alten Garde, all die
Schauprozesse, Entwürdigungen und Hinrichtungen als
politisch gerechtfertigt darstellte, rechtfertigte er auch die
kommende Säuberung. Damit legte er jedoch die Entscheidung, ob es zu dieser Säuberung kommen sollte, in

die Hände ihrer möglichen Opfer und beschwor für A
eine wirkliche Gefahr herauf.

Ein Blick auf A genügte N: A erkannte die Falle, in die
ihn G gelockt hatte. Doch bevor A einzuschreiten vermochte, ereignete sich ein Zwischenfall. Die Ministerin
für Erziehung M, die neben dem Staatspräsidenten K saß,
sprang auf, schrie, Marschall K sei ein Schwein. Auch N,
dem Staatspräsidenten schräg gegenüber, spürte, daß
seine Schuhe in einer Pfütze standen. Das Staatsober-
haupt, alt und krank, hatte Wasser gelassen. Der aufgedunsene Gin-gis-Khan wurde aggressiv, brüllte, was
denn daran sei, nannte M eine prüde Ziege, brüllte, ob
man ihn denn für so idiotisch halte, hinauszugehen, um
zu pissen, er wolle nicht verhaftet werden, er würde
diesen Raum nicht mehr verlassen, er sei ein alter Revolutionär, er habe für die Partei gekämpft und gesiegt, sein
Sohn sei im Bürgerkrieg gefallen und sein Schwiegersohn
und alle seine alten Freunde seien von A verraten und
vernichtet worden, obgleich sie, wie er, ehrliche und
überzeugte Revolutionäre gewesen seien, und daher lasse
er sein Wasser wann und wo er wolle.

Die ungestüme Reaktion A's, die nun auf diesen peinli-
chen und grotesken Vorfall folgte, überraschte N weniger durch die Leidenschaft, womit der Staatschef eingriff,
sondern mehr, weil er A's Angriff als geradezu kopflos
empfand; so, als ob es A gar nicht darum ginge, jemand
Bestimmten anzugreifen, sondern, überhaupt anzugreifen, den Nächstbesten anzugreifen. Seine wütenden
Angriffe richteten sich nämlich unverständlicherweise
nicht gegen F, G oder K, sondern gegen C, dem er doch

das meiste verdankte, wie hätte A ohne den Chef des Geheimdienstes regieren können. Dennoch warf er ihm nun auf einmal vor, C hätte ohne Wissen A's O verhaftet, und befahl ihm, den Atomminister zu rehabilitieren, wenn das noch möglich sei. Wahrscheinlich sei er nach den Methoden C's ohnehin längst erschossen. A ging noch weiter. Er forderte den Chef der Geheimpolizei auf, zurückzutreten. Eine Untersuchung gegen ihn, seiner abwegigen Veranlagung wegen, sei schon längst fällig. »Ich verhafte dich auf der Stelle«, tobte A und schrie durch die Sprechanlage nach dem Oberst. Totenstille. C blieb ruhig. Alles wartete. Minuten verstrichen. Der Oberst erschien nicht. »Warum kommt der Oberst nicht?« herrschte A C an. »Weil wir ihn angewiesen haben, unter keinen Umständen wieder zu erscheinen«, antwortete der Chef der Geheimpolizei ruhig und riß das Kabel der Sprechanlage aus der Wand. »Verdammt«, entgegnete A ebenso ruhig. »Du hast dich selbst schachmatt gesetzt, A«, meinte der Außenminister B, indem er die Ärmel der gut zugeschnittenen Jacke hinunterzog, »die Anordnung, den Oberst nicht mehr kommen zu lassen, stammt von dir.« – »Verdammt«, murmelte A noch einmal, dann klopfte er seine Pfeife wieder einmal aus, obgleich sie noch brannte, holte eine neue aus der Tasche, eine gebogene Dunhill, stopfte sie und setzte sie in Brand. »Verzeih, C«, sagte er. »Bitte, bitte«, lächelte die Staatstante, und N wußte, daß A verloren war. Es war, als ob ein Tiger, gewohnt, im Dschungel zu kämpfen, sich plötzlich in der Steppe von einer wütenden Büffelherde umringt sah. A hatte keine Waffen mehr. Er war hilflos. Zum ersten Male war er für N kein Geheimnis, kein Genie und kein Übermensch mehr, sondern ein

Machthaber, der nichts als das Produkt seiner politischen Umgebung war. Dieses Machtprodukt verbarg sich hinter dem Bilde des väterlichen und bäuerischen Kolosses, das in jedem Schaufenster ausgestellt war, in jeder Amtsstube hing und in jeder Wochen- und Tagesschau auftauchte, Paraden abnahm, Waisenhäuser und Altersheime besichtigte, Fabriken und Staudämme einweihte, Staatsmänner umarmte und Orden austeilte. Er war für das Volk ein patriotisches Symbol, ein Sinnbild für die Unabhängigkeit und die Größe des Vaterlandes. Er repräsentierte die Allmacht der Partei, er war der weise und gestrenge Landesvater, dessen Schriften (die er nie geschrieben hatte) von allen gelesen und auswendig gelernt wurden, auf den jede Rede, die gehalten, und jeder Artikel, der verfaßt wurde, Bezug nahm; aber in Wirklichkeit war er unbekannt. Man legte alle Tugenden in A hinein und machte ihn dadurch unpersönlich. Indem man ihn in ein Idol verwandelte, verschaffte man ihm einen Freipaß, der ihm alles erlaubte, und er erlaubte sich alles. Doch die Verhältnisse hatten sich geändert. Die Männer, die den Umsturz herbeigeführt hatten, waren Individualisten gewesen, gerade weil sie den Individualismus bekämpften. Die Empörung, die sie trieb, und die Hoffnung, die sie begeisterte, waren echt und setzten revolutionäre Individualitäten voraus; Revolutionäre sind keine Funktionäre, sie versuchen, solche zu sein, und scheitern daran. Sie waren entlaufene Priester, versoffene Wirtschaftstheoretiker, fanatische Vegetarier, relegierte Studenten, untergetauchte Rechtsanwälte, entlassene Journalisten, sie lebten in Schlupfwinkeln, wurden verfolgt und in Gefängnisse geworfen, führten Streiks, Sabotagen und Morde durch, verfaßten Flug-

schriften und geheime Broschüren, schlossen taktische
Bündnisse mit ihren Gegnern und brachen sie wieder,
doch, kaum hatten sie gesiegt, schuf die Revolution mit
der neuen Gesellschaftsordnung auch den neuen Staat,
dessen Macht ungleich gewaltiger war, als jene der alten
Ordnung und des alten Staates. Ihr Aufstand wurde von
der neuen Bürokratie verschluckt, die Revolution mün-
dete in ein organisatorisches Problem ein, woran die
Revolutionäre scheitern mußten, weil sie Revolutionäre
waren. Den Männern, die jetzt gebraucht wurden, standen sie hilflos gegenüber. Den Technokraten waren sie
nicht gewachsen: Ihr Versagen war jedoch auch die
Chance A's. In dem Maße, wie der Staat von der Verwaltung überwuchert wurde, mußte die Revolution als Fik-
tion erhalten werden; für einen Verwaltungsapparat vermag sich kein Volk zu begeistern, um so weniger, als
auch die Partei der Bürokratie zum Opfer gefallen war.
In A erhielt die unpersönliche Maschinerie der Macht ein
Gesicht, doch begnügte sich der große Boss nicht damit
zu repräsentieren, er begann im Namen der Revolution
die Revolutionäre zu vernichten. So kamen denn von der
alten Garde alle unter die Räder – der Staatspräsident K
und L ausgenommen –, aber nicht nur die Helden der
Revolution, auch jene, die nach ihnen zur Macht aufge-
stiegen und ins Politische Sekretariat aufgerückt waren,
wurden nach einiger Zeit liquidiert, sogar die Chefs der
Geheimpolizei wechselten, die A für diese Säuberungen
brauchte, auch sie entgingen nicht dem Henker. Gerade
darum war A populär. Dem Volk ging es trist, oft fehlte
das Nötigste, die Kleider, die Schuhe waren von erbärm-
licher Qualität, die alten Wohnungen zerfielen, die Neubauten ebenfalls. Vor den Lebensmittelläden standen

Schlangen. Der Alltag war grau. Demgegenüber genossen die Funktionäre der Partei Privilegien, über die phantastische Berichte umliefen. Sie besaßen Villen, Wagen, Chauffeure, kauften in Läden, die nur für sie bestimmt waren und worin jeder Luxusartikel zu erstehen war. Nur eines fehlte, die Sicherheit. Mächtig sein war gefährlich. Blieb das Volk im allgemeinen unbehelligt, da es, apathisch in seiner Misere und in seiner Machtlosigkeit, nichts zu verlieren hatte, weil es nichts besaß, lebten die Privilegierten in der Furcht, alles zu verlieren, weil sie alles besaßen. Das Volk sah die Mächtigen durch A's Gnade aufsteigen und durch A's Zorn fallen. Es nahm als Zuschauer teil am blutigen Schauspiel, das ihm die Politik bot. Nie erfolgte der Sturz eines Mächtigen ohne öffentliches Gericht, ohne ein erhabenes Schauspiel, ohne daß sich die Gerechtigkeit mit Pomp in Szene setzte, ohne ein feierliches Sichschuldigbekennen der Angeklagten. Es waren für die Massen Verbrecher, die hingerichtet wurden, Saboteure, Verräter; die Armut des Volkes war ihr Fehler und nicht jener des Systems, und ihr Untergang erweckte eine neue Hoffnung auf eine immer wieder versprochene bessere Zukunft, erweckte den Anschein, als ob die Revolution weiterginge, weise gelenkt vom großen, gütigen, genialen und doch immer wieder hintergangenen Staatsmanne A.

Zum ersten Male wurde auch N die politische Maschinerie durchschaubar, an deren Hebeln A saß und die von ihm bestimmt wurde. Die Maschinerie war nur scheinbar kompliziert, in Wirklichkeit denkbar einfach. Seine Gewaltherrschaft vermochte A nur aufrechtzuerhalten, wenn sich die Mitglieder des Politischen Sekretariats bekämpften. Dieser Kampf war für A die Voraussetzung seiner Macht. Bloß die Furcht trieb einen jeden dazu, sich die Gunst A's zu erhalten, indem er andere denunzierte. So standen Gruppierungen, wie die um D, welche an der Macht bleiben wollten, immer Formationen gegenüber, wie denen um G, welche die Revolution vorwärtszutreiben trachteten, wobei A's ideologische Haltung so undurchsichtig war, daß beide Parteien glaubten, in seinem Namen zu handeln. A's Taktik war brutal, doch gerade dadurch mit der Zeit nachlässig geworden. Er spielte den Revolutionär bloß, wenn es ihm vorteilhaft schien, ihn interessierte nur seine Macht, er herrschte, indem er alle gegeneinander ausspielte, aber er hielt sich selbst für gesichert. Er vergaß, daß er es im Politischen Sekretariat nicht mehr mit überzeugten Revolutionären zu tun hatte, die sich oft in den Schauprozessen bloß schuldig erklärten, um lieber ihr Leben als ihren Glauben an den Sinn der Revolution zu verlieren. Er vergaß, daß er sich mit Machtmenschen umgeben hatte, denen die Ideologie der Partei nur noch ein Mittel war, Karriere zu machen. Er vergaß, daß er sich isoliert hatte, denn die Furcht entzweit nicht nur. Die Furcht schweißt auch zusammen, ein Gesetz, das A nun zum Verhängnis wurde. Er war plötzlich hilflos wie ein Amateur geworden, der lauter Professionellen der Macht gegenüberstand. Indem er das Politische Sekretariat aufzuheben versuchte, um noch mächtiger zu werden, bedrohte er alle, indem er den Sicherheitsminister angriff und ihm vorwarf, O verhaftet zu haben, schuf er sich wieder einen neuen Feind. A hatte den Instinkt verloren, womit er geherrscht hatte, die Maschinerie seiner Machtausübung wandte sich nun gegen ihn. Auch rächte sich nun seine

Maßlosigkeit und damit Vorfälle, die sich erst jetzt rächen konnten, weil erst jetzt die Stunde der Rache gekommen war. A war launisch. Er setzte seine Macht sinnlos ein, er erteilte Befehle, die beleidigen mußten, seine Wünsche waren grotesk und barbarisch, sie stammten von seiner Menschenverachtung, aber auch von seinem wilden Humor, er liebte bösartige Späße, doch niemand goutierte sie, alle fürchteten sich vor ihnen und sahen in diesen Späßen nichts als heimtückische Fallen. N dachte unwillkürlich an einen Zwischenfall, der D beleidigt haben mußte, den mächtigen Parteisekretär. N hatte sich immer vorgestellt, daß D einmal zurückschlagen würde. D vergaß keine Erniedrigung und konnte warten. Die Gelegenheit zur Rache mußte jetzt gekommen sein. Die Affäre war skurril und gespenstisch. Die Wildsau erhielt damals von A den verblüffenden Auftrag, eine Damenkapelle aufzutreiben, die vor A nackt Schuberts Oktett spielen sollte. D mußte sich wutschnaubend über den idiotischen Befehl und zu feige, ihn abzulehnen, an die Ministerin für Erziehung und Kultur wenden, die Parteimuse wandte sich ebenso empört und feige wie D an die Konservatorien und Musikhochschulen; die Mädchen mußten ja nicht nur musikalisch ausgebildet, sondern auch gut gewachsen sein. Es ereigneten sich Zusammenbrüche und Katastrophen, Schreikrämpfe, Tobsuchtsanfälle. Eine der begabtesten Cellistinnen beging Selbstmord, wieder andere rissen sich darum, aber waren zu häßlich; endlich hatte man das Orchester beisammen, nur eine Fagottistin war nicht aufzutreiben. Die Wildsau und die Parteimuse zogen die Staatstante zu Rate. C ließ kurzerhand eine bildschöne Dirne mit stattlichem Hintern aus einem Korrektionshause ins

Staatliche Konservatorium schleppen, das Prachtstück
war musikalisch völlig unbegabt, aber in einem
unmenschlichen Dressurakt wurde ihm das zum Oktett
benötigte Fagottspiel beigebracht, auch die übrigen Mädchen übten auf Tod und Leben. Endlich saßen sie nackt
im eiskalten Saal der Philharmonie, die Instrumente an
ihre Leiber gepreßt. In der ersten Parkettreihe saßen in
Pelzmänteln und mit steinernen Gesichtern D und M und
warteten auf A, doch der kam nicht. Statt dessen füllte
sich der Barockraum mit Hunderten von Taubstummen,
welche die verzweifelt geigenden und blasenden nackten
Mädchen verständnislos und gierig anglotzten. A darauf
lachte bei der nächsten Sitzung des Politischen Sekretariats
unbändig über das Konzert und nannte D und M Narren,
weil sie einem solchen Befehl nachgekommen seien.

D's Stunde war gekommen. A's Sturz vollzog sich nüchtern, sachlich, mühelos, gleichsam bürokratisch. Die
Wildsau befahl, die Türen zu verschließen. Das Denkmal
erhob sich schwerfällig, verschloß zuerst die Türe hinter
dem Schuhputzer und dem Jüngeren der Gin-gis-Khane
und dann die hinter dem Teeheiligen und der Ballerina.
Darauf warf er die Schlüssel zwischen die Wildsau und
Lord Evergreen auf den Tisch. Das Denkmal setzte sich
wieder. Einige Mitglieder des Politischen Sekretariats,
die aufgesprungen waren – als wollten sie das Denkmal
hindern, ohne es jedoch zu wagen –, setzten sich auch
wieder. Alle saßen, die Aktentaschen vor sich auf dem
Tisch. A schaute von einem zum andern, lehnte sich
zurück, zog an seiner Pfeife. Er hatte das Spiel aufgegeben. Die Sitzung gehe weiter, sagte die Wildsau, es wäre
interessant, zu erfahren, wer nun O eigentlich habe

verhaften lassen. Die Staatstante entgegnete, es könne sich nur um A handeln, auf der Liste sei O nicht angeführt, und er als Chef der Geheimpolizei sähe überhaupt keinen Grund, O, der doch nur ein zerstreuter Wissenschaftler sei, zu verhaften. O sei ein Fachminister und unersetzlich, ein moderner Staat brauche die Wissenschaftler mehr als die Ideologen. Das müsse sogar der Teeheilige langsam kapieren. Nur A kapiere es anscheinend nie. Der Teeheilige verzog keine Miene. »Die Liste!« verlangte er sachlich, »sie wird uns Klarheit bringen.« Die Staatstante öffnete seine Aktentasche. Er reichte ein Papier zuerst Lord Evergreen, der es nach kurzem Überlesen dem Teeheiligen zuschob. Der Teeheilige erbleichte. »Ich bin auf der Liste«, murmelte er leise, »ich bin auf der Liste. Dabei bin ich doch immer ein linientreuer Revolutionär gewesen. Ich bin auf der Liste«, und dann schrie der Teeheilige plötzlich auf: »Ich war der Linientreuste von euch allen, und nun soll ich liquidiert werden. Wie ein Verräter!« Die Linie sei eben krumm geworden, entgegnete D trocken. Der Teeheilige gab die Liste der Ballerina, der, da sein Name offensichtlich nicht draufstand, sie sofort an das Denkmal weiterleitete. Das Denkmal starrte auf sie, las sie immer wieder, um endlich aufzuheulen: »Ich bin nicht darauf, ich bin nicht darauf. Nicht einmal liquidieren will mich das Schwein, mich, den alten Revolutionär!« N überflog die Liste. Sein Name stand nicht darauf. Er gab sie an den Chef der Jugendgruppen weiter. Der blasse Parteimensch stand verstört auf, als befände er sich in einem Examen, reinigte seine Brille. »Ich bin zum Generalstaatsanwalt ernannt worden«, stotterte er. Alle brachen in ein Gelächter aus. »Setz dich, Kleiner«, meinte die Wildsau

gutmütig, und der Schuhputzer fügte bei, sie würden den
braven Tugendbold der Jugendgruppen nicht auffressen.
P setzte sich wieder und reichte das Papier, wobei seine
Hand schlotterte, über den Tisch zur Parteimuse hinüber. »Ich stehe darauf«, sagte sie und schob die Liste
dem älteren Gin-gis-Khan zu, der aber vor sich hindöste,
so daß sie der jüngere zu sich nahm. »Marschall K steht
nicht darauf«, sagte er, »aber ich stehe darauf« und gab
das Papier dem Schuhputzer. »Ich auch«, sagte dieser,
und dasselbe sagte die Wildsau. Als letzter erhielt der
Eunuch die Liste. »Nicht darauf«, sagte der Außenminister und schob die Liste wieder der Staatstante zu. Der
Chef der Geheimpolizei faltete das Papier sorgfältig
zusammen und verschloß es in seiner Aktentasche. O sei
tatsächlich nicht auf der Liste, bestätigte Lord Evergreen.
Warum er dann von A verhaftet worden sei, wunderte
sich die Ballerina und blickte mißtrauisch zur Staatstante.
Der entgegnete, er habe keine Ahnung; daß der Atomminister erkrankt sei, habe er bloß angenommen, doch A
pflege nach eigenem Gutdünken vorzugehen. »Ich ließ O
nicht verhaften«, sagte A. »Erzähl keine Märchen«,
schnauzte ihn der jüngere Gin-gis-Khan an, »sonst wäre
er hier.« Alle schwiegen, A zog ruhig an seiner Dunhill.
»Wir können nicht mehr zurück«, meinte die Parteimuse
trocken, die Liste sei eine Tatsache. Sie sei nur für den
Notfall aufgestellt worden, erklärte A, ohne sich zu
verteidigen. Er rauchte gemütlich, als gehe es nicht um
sein Leben, und fügte bei, die Liste sei aufgestellt worden
für den Fall, daß sich das Politische Sekretariat seiner
Selbstauflösung widersetze. »Der Fall ist eingetreten«,
entgegnete der Teeheilige trocken, »es widersetzt sich.«
Der Eunuch lachte. Der Schuhputzer kam wieder mit

einem Bauernspruch, der Blitz schlage auch beim reichsten Bauern ein. Die Wildsau fragte, ob sich jemand freiwillig melde. Alle schauten zum Denkmal. Das Denkmal erhob sich. »Ihr erwartet, daß ich den Kerl umbringe«, sagte er. »Du brauchst ihn nur ans Fenster zu knüpfen«, antwortete die Wildsau. »Ich bin kein Henker wie ihr«, antwortete das Denkmal, »ich bin ein ehrlicher Schmied und erledige das auf meine Weise.« Das Denkmal nahm seinen Sessel und stellte ihn zwischen das freie Tischende und das Fenster. »Komm, A!« befahl das Denkmal ruhig. A erhob sich. Er wirkte, wie immer, gelassen und sicher. Während er gegen das untere Tischende zuging, wurde er vom Teeheiligen behindert, der seinen Sessel gegen die hinter ihm befindliche Türe gelehnt hatte. »Pardon!« sagte A, »ich glaube, ich muß hier durch.« Der Teeheilige rückte zum Tisch, ließ A passieren, der nun zum Denkmal gelangte. »Setz dich«, sagte das Denkmal. A gehorchte. »Gib mir deinen Gürtel, Staatspräsident«, befahl das Denkmal. Gin-gis-Khan der Ältere kam dem Befehl mechanisch nach, ohne zu begreifen, was das Denkmal im Sinne hatte. Die andern starrten schweigend vor sich hin, schauten nicht einmal zu. N dachte an den letzten Staatsakt, bei welchem sich das Politische Sekretariat der Öffentlichkeit gezeigt hatte. Im tiefen Winter. Sie beerdigten den ›Unbestechlichen‹, einen der letzten großen Revolutionäre. Der Unbestechliche nahm nach dem Sturz des Denkmals das Amt des Parteichefs ein. Dann fiel er in Ungnade. Die Wildsau verdrängte ihn. Doch machte A dem Unbestechlichen nicht den Prozeß wie den anderen. Sein Sturz war grausamer. A ließ ihn für geisteskrank erklären und in eine Irrenanstalt einliefern, wo ihn die Ärzte während Jahren dahindämmern ließen, bevor er sterben durfte. Um so feierlicher fiel denn auch das Staatsbegräbnis aus. Das Politische Sekretariat, ausgenommen die Parteimuse, trug den Sarg, bedeckt mit der Parteifahne, auf den Schultern durch den Staatsfriedhof an schneebedeckten, kitschigen Marmorstatuen und Grabsteinen vorbei. Die zwölf mächtigsten Männer der Partei und des Staates stapften durch den Schnee. Sogar der Teeheilige war in Stiefeln. Vorne hatte A neben dem Eunuchen die Bahre geschultert und hinten, nach all den andern, N neben dem Denkmal. Der Schnee fiel in großen Flocken aus einem weißen Himmel. Zwischen den Gräbern und um das ausgehobene Grab scharten sich dicht gedrängt die Funktionäre in langen Mänteln und warmen Pelzmützen. Als man den Sarg zu den Klängen einer durchfrorenen Militärkapelle, welche die Parteihymne spielte, ins Grab hinunterließ, flüsterte das Denkmal: »Teufel, ich werde der nächste sein.« Nun war er nicht der nächste. A war der nächste. N schaute auf. Das Denkmal schlang den Gürtel Gin-gis-Khan des Älteren um A's Hals. »Bereit?« fragte das Denkmal. »Nur noch drei Züge«, antwortete A, paffte dreimal ruhig vor sich hin, dann legte er die gebogene Dunhill vor sich auf den Tisch. »Bereit«, sagte er. Das Denkmal zog den Gürtel zu. A gab keinen Laut von sich, sein Leib bäumte sich zwar auf, auch ruderten einige Male seine Arme unbestimmt herum, doch schon saß er unbeweglich, den Kopf vom Denkmal nach hinten gezogen, den Mund weit geöffnet: das Denkmal hatte den Gürtel mit ungeheurer Kraft zusammengezogen. A's Augen wurden starr. Der ältere Gin-gis-Khan ließ aufs neue Wasser, niemanden störte es. »Nieder mit den Feinden im Schoße der Partei, es lebe unser großer Staatsmann A!« rief Marschall H. Das Denkmal lockerte seinen Griff erst nach fünf Minuten, legte den Gürtel Gin-gis-Khan des Älteren zur Dunhill-Pfeife auf den Tisch, ging zu seinem Platz zurück und setzte sich. A saß tot im Sessel vor dem Fenster, das Antlitz zur Decke gekehrt, mit hängenden Armen. Die andern starrten ihn schweigend an. Lord Evergreen zündete sich eine amerikanische Zigarette an, dann eine zweite, dann eine dritte. Sie warteten alle etwa eine Viertelstunde.

Jemand versuchte von außen die Türe zwischen F und H zu öffnen. D erhob sich, ging zu A, betrachtete ihn genau und betastete sein Gesicht. »Der ist tot«, sagte D, »E, gib mir den Schlüssel.« Der Außenhandelsminister gehorchte schweigend, dann öffnete D die Türe. Auf der Schwelle stand der Atomminister O und entschuldigte sich für seine Verspätung. Er habe sich im Datum geirrt. Dann wollte er auf seinen Platz, ließ in der Eile seine Aktentasche fallen, und erst als er sie aufhob, bemerkte O den erdrosselten A, und erstarrte. »Ich bin der neue Vorsitzende«, sagte D und rief durch die offene Türe den Oberst herein. Der Oberst salutierte, verzog keine Miene. D befahl ihm, A wegzuschaffen. Der Oberst kam mit zwei Soldaten zurück, und der Sessel war wieder leer. D schloß die Türe ab. Alle hatten sich erhoben. »Die Sitzung des Politischen Sekretariats geht weiter«, sagte D, »bestimmen wir die neue Sitzordnung.« Er setzte sich auf den Platz A's. Neben ihn setzten sich B und C. Neben B F und neben C E. Neben F setzte sich M. Dann schaute D N an und machte eine einladende Geste. Fröstelnd setzte sich N neben E: er war der siebentmächtigste Mann im Staate geworden. Draußen begann es zu schneien.

```
            D
  B                   C
  F                   E
  M                   N
  H                   G
  K                   I
  O                   L
                      P
```

Abu Chanifa und
Anan ben David

1975
Bearbeitete Fassung 1978

Nicht immer kommen die Theologen besser davon. Auch ihre Lehren enthalten Sprengstoff. Auch hier weisen das Judentum und der Islam eine Gemeinsamkeit auf, die im Wesen der Theologie zu liegen scheint. Als Religionen, die auf einer ›offenbarten‹ Schrift gründen, begnügen sich beide nicht mit ihren Offenbarungen. Wie die Juden mit dem Talmud die Bibel erweitern, den Pentateuch dialektisch kommentierend, ergänzen die Muslime den Koran mit der mündlichen Überlieferung von Taten und Worten des Propheten, Sunna und Hadith: Als der Abbaside al-Mansur um 760 den Gottesgelehrten Abu Chanifa verhaften läßt, als offizieller Nachfolger des Propheten mit dem großen Korankenner theologisch in einen leidigen Streit geraten, befiehlt er, verärgert über die Theologen, bevor er sich von den täglichen Staatsgeschäften eher widerwillig, doch pflichtbewußt in den Harem zurückzieht, einen Rabbi namens Anan ben David ebenfalls einzukerkern. Niemand wagt al-Mansur zu fragen warum, vielleicht weiß er es selbst nicht. Wahrscheinlich handelt er bloß aus einem dumpfen Gefühl einer gewissen boshaften Gerechtigkeit, die den Kalifen als Herrscher über Gläubige und Ungläubige auszeichnet. Doch ist es auch möglich, daß er sich halb erinnert, eine Bittschrift flüchtig gelesen zu haben, ohne daß freilich al-Mansur noch weiß, von wem diese Bittschrift stammt, ob von einem Büro seiner Verwaltung, das sich mit jüdi-

schen Angelegenheiten beschäftigt, oder gar von mehre-
ren, ja es kommt ihm plötzlich vor, als habe er nur von
ihr geträumt, von einem halb leserlichen Schreiben,
worin die Verhaftung Anans gefordert wurde, weil dessen Anhänger den Rabbi, der aus dem sektenreichen
Inneren Persiens aufgetaucht war, widerrechtlich zum
Exarchen über die babylonische Gemeinde ausgerufen
hatten. Al-Mansur läßt Anan ben David in das schmut-
zige Verlies werfen, wo schon Abu Chanifa haust. Der
hünenhafte Wärter, der Anan ben David hinführt, öffnet
eine kleine eiserne Türe, mit zwei eichenen Querbalken
verrammelt, die ihm kaum zur Hüfte reicht, zwingt den
Rabbi nieder und befördert ihn mit einem gewaltigen
Fußstoß in die Zelle. Lange liegt der Rabbi bewußtlos auf
dem steinernen Boden. Wie er zu sich kommt, erkennt er
allmählich das Verlies, worin er sich befindet. Es ist
quadratisch, eng und hoch. Die einzige Lichtquelle bildet
ein kleines vergittertes Fenster, unerreichbar über ihm,
irgendwo in der rohen Mauer. In einer Ecke kauert eine
Gestalt. Anan ben David kriecht zu ihr, erkennt Abu
Chanifa, kriecht zurück, kauert sich in die Ecke nieder,
die jener des Muslim diagonal gegenüberliegt. Die beiden Theologen schweigen, jeder glaubt vom anderen,
dieser sei im Unrecht, wenn auch nicht al-Mansur gegenüber, der sie beide schändlich behandelt hat, aber in
Hinsicht auf die ewige Wahrheit. Ein uralter Wärter, der
sich, um in Ruhe gelassen zu werden, als Sabier ausgibt,
aber in Wirklichkeit einen verrosteten einäugigen Götzen
anbetet und Muslime, Juden und Christen als gottlose
Esel verachtet, setzt ihnen täglich wortlos eine Schüssel
mit Speise vor und einen Krug mit Wein. Die Speise ist
köstlich zubereitet, auf Befehl al-Mansurs, dessen Grau-

samkeit nie gemein, doch stets exquisit ist: Die Beleidi-
gung besteht für beide darin, daß der Jude und der
Muslim aus der gleichen Schüssel essen müssen; der Wein
beleidigt allein Abu Chanifa. Eine Woche essen die
Theologen nicht. Standhaft bis zum Exzeß will jeder der
Frömmste sein und seinen Gegner durch Ergebenheit in
den Willen Gottes beschämen. Bloß den Wein kosten sie
gemeinsam, sich hin und wieder die Lippen netzend, der
Muslim, um nicht zu verdursten – was Allah gegenüber ja
auch eine Sünde gewesen wäre –, Anan ben David, dem
Wein erlaubt ist, um Abu Chanifa gegenüber nicht
unmenschlich zu erscheinen, dessen Durst er verdoppeln
würde, tränke er in vollen Zügen. Ratten fallen über die
Schüssel her, Ratten gibt es überall. Zuerst wagen sie sich
zögernd hervor, dann täglich frecher. Nach einer Woche
findet Abu Chanifa die Demut des Juden empörend, es
kann sich unmöglich um eine echte Demut handeln wie
bei ihm, dem Muslim; der Jude muß aus gotteslästerli-
chem Trotz handeln oder aus teuflischer Heimtücke, in
der Absicht, den Diener des Propheten, den profunden
Kenner des Korans, der Sunna des Hadith durch
gespielte Demut zu demütigen: Abu Chanifa ißt die
Schüssel leer, blitzschnell, bevor noch die Ratten wie
bisher über sie herzufallen vermögen, so flink die Bestien
auch sind. Nur einen kleinen Rest läßt der Gottesgelehrte
zurück, den Anan ben David aufleckt, bescheiden, mit
niedergeschlagenen Augen, wenn auch nicht gänzlich
ohne Hast, der Hunger ist allzu rasend, aber er denkt an
den Talmud, der das Martyrium verwirft, und die ent-
täuschten Ratten bedrängen nun ihn, ja schnappen nach
ihm. Schlagartig, wie eine Erleuchtung, wird es Abu
Chanifa bewußt, daß die Demut des Juden echt ist.

Dadurch beschämt, zerschmettert, vor Allah zerknirscht, ißt nun Abu Chanifa am anderen Tag nichts, aber Anan ben David, der seinerseits Abu Chanifa nicht demütigen will, weil dieser doch am Vortage gegessen hat, und von dessen Frömmigkeit er überzeugt worden ist, dazu noch von der Demut des Muslim ihm und Jehova gegenüber gedemütigt, ißt, schlingt, so eilig hat er es, frißt die Schüssel leer, all die köstlich zubereiteten Speisen, noch hastiger als Abu Chanifa am Vortage, weil die Ratten noch gieriger geworden sind, noch unverschämter, noch ungestümer, doch auch er leert sie nur beinahe, wie der Muslim vorher, so daß nun Abu Chanifa, glücklich darüber, sich endlich vor dem Rabbi auf dieselbe Weise demütigen zu dürfen, den Rest auflecken kann, auch er nun wieder von Ratten beklettert, ja überhäuft, überschwemmt, kaum ist es noch auszumachen, was Abu Chanifa, was Ratten sind, worauf sich die Biester mit der Zeit schwer enttäuscht und gekränkt zurückziehen. Beide, der Muslim und der Jude, kauern sich von da an zufrieden in gleicher Frömmigkeit gegenüber, beide gleich gedemütigt, beide gleich demütig, beide gleicherweise erschöpft durch den frommen Zweikampf. Sie haben einander überzeugt, nicht durch den Glauben, der bei beiden verschieden bleibt, unversöhnlich, doch durch ihre ebenbürtige Frömmigkeit, durch dieselbe mächtige Kraft, womit sie ihren unterschiedlichen Glauben glauben. So beginnt ein theologisches Gespräch, durch den Mondschein begünstigt, der schräg und grell durch die vergitterte Fensterlücke fällt. Die beiden sprechen miteinander, zögernd, vorsichtig zuerst, von langen Pausen tiefster Versunkenheit unterbrochen, bald fragt Abu Chanifa, und Anan ben David antwortet, bald fragt der

Rabbi, und der Muslim antwortet. Der Morgen graut, irgendwo wird schon gefoltert. Das Schreien und Stöhnen macht das Gespräch der beiden unmöglich, Rabbi Anan und Abu Chanifa beten so laut und mächtig, jeder in seiner Sprache, daß die Folterknechte erschrocken von ihren Opfern lassen. Der Tag kommt, die Sonne flammt in die Zelle, scharf gestochen, ein Lichtstrahl, der freilich nicht den Boden des Kerkers erreicht, einen Augenblick nur glänzt in ihm Abu Chanifas weißes Haar auf. Ein Tag folgt dem anderen, eine Nacht der anderen, sie essen gemeinsam nur das Notwendige, nur wenig von der Speise, die immer schlechter wird, weil der Befehl des Kalifen allmählich vergessen wird. Statt Wein ist längst Wasser im Krug. Den Rest des undefinierbaren Breis, den der wortlose Wärter ihnen schließlich hinschmeißt, überlassen sie den Ratten, die ihre Freunde werden, sie freundlich umpfeifen, die Nasen an ihnen reiben. Die beiden streicheln sie gedankenverloren, so sehr sind sie in ihr mächtiges Gespräch vertieft. Der Muslim und der Jude loben denselben majestätischen Gott und finden es über alle Maßen wundersam, daß er sich gleich in zwei Büchern offenbart hat, in der Bibel und im Koran, in der Bibel dunkler, unvorausberechenbar in seiner Gnade und in seinem Zorn, in seiner unbegreiflichen Ungerechtigkeit, die sich immer als Gerechtigkeit herausstellt, im Koran dichterischer, hymnischer, auch etwas praktischer in seinen Geboten. Doch indem die beiden Theologen Gott preisen, bedauern sie allmählich den menschlichen Aberwitz, die göttlichen Originalschriften zu ergänzen: Anan ben David verflucht den Talmud, Abu Chanifa Sunna und Hadith. Jahre vergehen. Der Kalif hat die beiden Theologen längst vergessen. Die Meldung seines

Geheimdienstes, der Glaube breite sich aus, daß allein der Koran Geltung habe, nimmt er kaum zur Kenntnis, vielleicht kann man diesen neuen Glauben einmal politisch verwerten, so oder so, und wie der jüdische Minister für jüdische Angelegenheiten berichten will, der Zweifel an der Gültigkeit des Talmud verbreite sich unter den Juden in Babylonien immer mehr, unterbricht er den Vortrag, so sehr gähnt al-Mansur. Mit steigendem Alter macht diesem – mehr noch als sein Riesenreich – der Harem zu schaffen, die Eunuchen reißen schon Witze, außerdem ist dem Großwesir nicht recht zu trauen; und weil der Großwesir spürt, daß ihm der Kalif nicht mehr traut, vergißt er die beiden Gefangenen ebenfalls, mit gutem Gewissen, ist es doch Aufgabe der Verwaltung, sich um Anan ben David und Abu Chanifa zu kümmern. Aber die Verwaltung ist überlastet, das Gefängnis längst zu klein bei den politischen Wirren, die einsetzen: Sklavenaufstände, Rebellionen von mazdakischen Kommunisten, ein Harem nach dem anderen läuft zu ihnen über, da sie auch die Frauen gemeinsam haben. Neue Gefängnisse werden gebaut, zuerst neben dem alten, seine Außenmauern als Stützmauern zu weiteren Kerkern benutzend, eine ganze Gefängnisstadt entsteht, über die sich mit der Zeit eine zweite und eine dritte Gefängnisstadt erhebt, planlos, doch solid, Quader auf Quader getürmt. Al-Mansur ist längst gestorben und auch dessen Nachfolger al-Mahdi und dessen Nachfolger al-Hadi ibn al-Mahdi, den seine Mutter ermorden ließ, um ihrem Lieblingssohn Harun al-Raschid ibn al-Mahdi zur Macht zu verhelfen; dann stirbt der und dessen Nachfolger und so weiter, alle sinken sie dahin. Das Gefängnis, in welchem sich Abu Chanifa und Anan ben David gegenüber-

kauern, tief unter all den Gefängnissen, die daneben und
darüber gebaut worden sind und wiederum darüber und
daneben gebaut werden, weil der Aufstand der Neger-
sklaven den Kalifen al-Mutamid ibn al-Mutawakkil zu
neuen riesigen Gefängnissen zwingt, dieses wenige Qua-
dratmeter messende Verlies im ursprünglichen Gefängnis
ist längst verschollen und mit ihm Abu Chanifa und
Anan ben David, ohne daß sich die beiden dessen bewußt
sind, sitzen sie sich doch immer noch im Dunkeln gegenüber, im beinahe Dunkeln, denn tagsüber dringt von
irgendwo oben, gebrochen durch unzählige Schächte, die
kreuz und quer laufen, wie es sich bei der endlosen
Bauerei ergab, ein schwacher Lichtschimmer zu ihnen
herunter, gerade genügend, daß sie, neigen sie sich einander entgegen, ihre Gesichtszüge erkennen können. Aber
sie kümmern sich nicht darum, ihr Gegenstand, mit dem
sie sich beschäftigen, ist unerschöpflich, ja er scheint
immer unerschöpflicher zu werden, je tiefer sich die
beiden in ihn versenken. Ihr Gegenstand ist Gott in
seiner Erhabenheit, demgegenüber alles unbedeutend ist:
das jämmerliche Essen, die feuchten Pelze der Ratten, die
längst den Koran und die Thora aufgefressen haben, die
beiden einzigen Bücher, die ihnen al-Mansur hatte als
Gefängnislektüre gestatten müssen; daß sie diese heiligen
Schätze nicht mehr besitzen, ist von ihnen nicht einmal
mehr bemerkt worden: Abu Chanifa und Anan ben
David strichen zärtlich über die Pelze der Bestien, als
diese ihr Zerstörungswerk begannen. Abu Chanifa ist
längst gleichsam der Koran und Anan ben David die
Thora geworden; spricht der Jude eine Stelle aus der
Thora, spricht der Araber eine Sure aus dem Koran, die
zur Stelle aus der Thora paßt. Auf eine geheimnisvolle

Weise scheinen sich die beiden Bücher zu ergänzen; auch wenn ihrem Wortlaut nach keine Übereinstimmung vorliegt, sie stimmen doch überein. Der Friede der beiden Gefangenen ist vollkommen, doch rechnen sie in ihrer Versunkenheit in die göttlichen Offenbarungen, die sich scheinbar widersprechen und doch ergänzen, mit einem nicht, mit dem Nächsten, mit dem Wärter, mit dem wie die beiden nun uralten Sabier, der im geheimen immer noch seinen Götzen anbetet und, je unbarmherziger der rohe einäugige Götze schweigt, desto trotziger den Araber und den Juden verachtet. Er ist wie die beiden längst vergessen worden, die Gefängnisverwaltung weiß nichts mehr von seiner Existenz, er muß sich sein Essen bei anderen Gefängniswärtern zusammenbetteln, die ihrerseits vergessen worden sind und ihr Essen zusammenbetteln müssen. Das wenige, das der Sabier erbettelt, teilt er mit den Gefangenen mechanisch, aus einem gewissen Pflichtgefühl heraus, das stärker als die Verachtung ist, die er den beiden gegenüber empfindet, eine Verachtung, die sich langsam zum Haß steigert, zu einem ohnmächtigen dunklen Zorn, der in ihm nagt, ihn ausfüllt, so daß er eigentlich nichts mehr ist als dieser Haß auf alle Juden und Araber und darüber hinaus auf deren Gott, der einmal geredet haben soll, auf diesen Dichtergott, wie er ihn nennt, ohne eigentlich zu wissen, wo er dieses Wort aufgeschnappt hat, denn was ein Dichter sein soll, weiß er auch nicht. Da erläßt irgendein Kalif, sei es al-Qadir ibn Ishaq ibn al-Muqtadir oder al-Qaim ibn al-Qadir, nach einer glücklichen Liebesnacht mit einer gefangenen Venezianerin namens Amanda, Anunciata oder Annabella mit langen zinnoberroten Haaren, den Befehl, alle Staatsgefangenen, deren Namen mit A beginnen, freizu-

lassen. Durch einen Zufall dringt der Befehl zweihundert
Jahre später, in den letzten Tagen al-Mustansir ibn az-
Zahirs, des vorletzten aller Kalifen, bis zum uralten
Sabier vor, der Anan ben David brummend freiläßt, nach
einigem Zögern freilich, hat er doch das Gefühl, auch
Abu Chanifa freilassen zu müssen, eigentlich könnte er
sich, denkt er, nach dem ›Abu‹ richten, niemand würde
es bemerken, aber sein Haß, den er gegen die beiden
hegt, bewegt ihn, sich an ›Chanifa‹ zu halten und die
beiden Theologen zu trennen. So läßt er schadenfroh nur
Anan ben David frei. Bestürzt nimmt der Jude von Abu
Chanifa Abschied, tastet noch einmal über das Gesicht
des vertrauten Freundes, starrt in seine Augen, die wie
aus Stein sind, und hat auf einmal das Gefühl, daß Abu
Chanifa den Abschied nicht mehr wahrnimmt, daß dieser
das Gefühl für jede Veränderung verloren hat, stolpert
darauf verwirrt durch dunkle Gänge, von einer dumpfen
Furcht vor der Freiheit ergriffen, erklimmt Leitern, die
an naßen Mauern entlang in weitere Gefängnisse hinauf-
führen, irrt durch immer neue Gänge und gelangt zu
steilen Treppen, bis er sich plötzlich im grellen Sonnen-
licht in einem Hof befindet, blinzelnd, alt, unsäglich
schmutzig, in Lumpen. Wie erlöst sieht er, daß die eine
Hälfte des Hofes im Schatten liegt, schließt die Augen,
tastet sich zur Mauer, läßt sich an ihr nieder. Ein Wärter
oder ein Gefängnisbeamter findet ihn, fragt ihn aus,
versteht nichts, schließt ihm kopfschüttelnd das Gefängnistor auf. Der Alte will seinen Platz an der Mauer nicht
verlassen, der Wärter (oder der Gefängnisbeamte) droht,
Gewalt anzuwenden, der Alte muß gehorchen: Die end-
lose Wanderung Anan ben Davids durch die Welt
beginnt, unfreiwillig, denn kaum vor dem Gefängnistor,

kaum unter Menschen, wird er von allen angestarrt; er ist anders als sie gekleidet, in zerrissenen, verschmutzten Lumpen zwar, aber doch in einer altertümlichen Kleidung. Auch sein Arabisch klingt anders; als er nach einer bestimmten Gasse fragt, versteht man ihn nicht, außerdem gibt es diese Gasse nicht mehr, die Stadt hat sich verändert; dunkel erinnert er sich, einige Moscheen schon einmal gesehen zu haben. Er sucht die jüdische Gemeinde auf, meldet sich beim Rabbiner, einem berühmten Talmudkenner. Auch hier hat man Mühe, den Alten zu verstehen, aber man läßt ihn vor den heiligen Mann, der das arabisch geschriebene Buch des berühmten Rabbi Saadia ben Joseph studiert: ›Die Widerlegung des Anan‹. Das eisgraue uralte Männchen umklammert die Knie des großen Talmudisten, nennt seinen Namen. Der Rabbi stutzt, fragt noch einmal, wird streng, entweder sei Anan ben David ein Narr oder ein Betrüger, der echte Rabbi Anan sei schon vor fast fünfhundert Jahren gestorben und ein Ketzer gewesen, von persischen Geheimlehren verseucht, er solle sich davontrollen. Dann wendet er sich wieder seinem Buche zu. Anan ben Davids uraltes Gesicht verfärbt sich: Ob er denn immer noch an den Talmud glaube, fragt er den Rabbi, an dieses erbärmliche Menschenwerk? Nun richtet sich der berühmte Talmudkenner auf, ein Riese von Gestalt, mit einem wilden pechschwarzen Bart, nicht umsonst nennt ihn die Gemeinde ›Heiliger Koloß‹. »Weiche von mir, du jämmerlicher Geist Anan ben Davids!«, donnert er, »du längst verfaulter! Laß ab von mir und von meiner Gemeinde. Du hast uns ins Unglück geführt, als du noch lebtest, und so seist du nun verflucht als schon längst Verscharrter!« Entsetzt stürzt Anan ben

David aus dem Haus des Heiligen, die Flüche des Juden gellen ihm nach. Er irrt ziellos durch die Straßen und Plätze der Riesenstadt. Gassenjungen bewerfen ihn mit Steinen, Hunde schnappen nach ihm, ein Betrunkener schlägt ihn zu Boden. Er weiß sich keinen anderen Rat mehr, als sich wieder am Gefängnistor zu melden, das er mit großer Mühe findet. Verwundert wird ihm das Tor aufgeschlossen, aber niemand erinnert sich seiner, der Gefängnisbeamte (oder der Wärter), der ihn entlassen hatte, ist nicht aufzutreiben. Der alte Jude berichtet von Abu Chanifa, niemand hat je von einem solchen Gefangenen gehört. Ein junger Subdirektor in der Leitung aller Gefängnisse der Stadt nimmt sich, historisch interessiert, des alten Juden an. Abu Chanifa ist für ihn ein vager Begriff, wenn es sich wohl auch um eine Verwechslung des Juden handelt, aber irgend etwas Wahres muß sich hinter der Geschichte verbergen. Er weist dem Alten eine Zelle im neuen Gefängniskomplex an, eigentlich für vermögende Untersuchungsgefangene bestimmt, mit Aussicht auf die Harun-al-Raschid-Moschee, läßt ihn verpflegen und neu einkleiden. Der Subdirektor wundert sich selbst über seine Großzügigkeit. Er forscht in alten Verzeichnissen, besichtigt alte Pläne, aber nichts läßt darauf schließen, daß unter all den Gefängnisbauten sich noch ein Gefängnis befinde, das Urgefängnis sozusagen. Der Subdirektor läßt alte Wärter zu sich kommen, auch uralte, die sich schon längst im Ruhestand befinden, niemand hat je von einem Sabier als Wärter gehört. Sicher, niemand kennt das ganze Gefängnis, zugegeben, die Pläne sind unvollständig, aber irgendeine Spur müßte immerhin vorhanden sein, wäre am Bericht des alten Juden etwas Wahres. Das sieht denn der Subdirektor schließlich ein, betrübt, denn irgendwie glaubt er dem Juden, fühlt sich ihm verpflichtet, seltsam, er gibt es zu, fühlt sich wie willenlos, spricht mit dem Direktor, ob man dem Alten nicht eine Zelle zur Verfügung stellen könne, am besten die Zelle, in der er schon haust, mit der Aussicht auf die Moschee. Das sei leider ausgeschlossen, der Direktor ist leicht indigniert über seinen Subdirektor, dieser könne doch nicht im Ernst annehmen, daß zwischen dem alten Juden und dem seit Jahrhunderten verstorbenen Abu Chanifa ein Zusammenhang bestehe. Er sei Gefängnisdirektor und kein Irrenhausleiter, der Subdirektor solle den Juden in ein solches einweisen. Aber Anan ben David ist verschwunden, als dieser Entscheid gefällt wird. Niemand weiß zu sagen, wie er seine Zelle verlassen konnte, vielleicht war sie auch verschlossen, vielleicht fand ein Wärter den Juden tot auf seiner Pritsche und ließ die Leiche wegschaffen, ohne den unbedeutenden Vorfall zu melden. Als aber fünfzehn Jahre später Hülägu, ein Enkel Dschingis-Khans, die Stadt mit ihren Moscheen, Krankenhäusern und Bibliotheken niederbrennt, achthunderttausend Einwohner niedermetzelt und den schriftstellernden al-Mustasim ibn az-Zahir, einen Abbasiden von einer beispielhaften Sanftheit, in einen Teppich gerollt zu Tode schütteln läßt, um, abergläubisch wie der Mongole ist, nicht den Boden des Abbasidenreiches, das er erobert hat, mit dem Blut des letzten Kalifen zu erzürnen, sieht ein Panzerreiter aus einer eingeäscherten Synagoge einen kleinen gebückten, uralten Juden entweichen und schickt ihm, verwundert, daß da noch jemand lebt, einen Pfeil nach, ohne schwören zu können, im ungewissen rauchigen Licht getroffen zu haben. Zweihundert Jahre später spricht in Granada

ein unscheinbarer Jude unbestimmbaren Alters den
Vorsteher der jüdischen Gemeinde an, er ist kaum zu
verstehen, endlich begreift der Vorsteher, der Alte wolle
mit Rabbi Moses ben Maimon diskutieren, und antwortet
freundlich, der ›Rambam‹ sei schon vor fast dreihundert
Jahren in Kairo gestorben, worauf sich der Fremde erschrocken zurückzieht. Unter den ersten Jahren Karls V.
als spanischer König fällt ein jüdischer Greis in die Hände
der Inquisition, er wird als Kuriosum dem Großinquisitor
vorgeführt. Der Jude beantwortet keine Fragen, ob er
stumm ist oder nicht, ist nicht auszumachen. Der Großinquisitor schweigt lange, starrt den Juden an, wie andächtig, macht eine unbestimmte Handbewegung, läßt ihn
laufen als ohnehin dem Tode verfallen. Ob es sich in all
diesen Berichten um Anan ben David handelt, wissen wir
nicht, sicher ist nur, daß er durch die Welt irrt, ohne sich
je wieder zu erkennen zu geben, daß er seinen Namen
verschweigt. Er wandert von einem Land zum anderen,
von einer Judengemeinde zur anderen und sagt kein Wort
mehr. In den Synagogen hüllt er sich in einen alten
zerschlissenen Gebetsmantel, so daß man den Uralten,
wie der Großinquisitor, für taubstumm hält. Bald taucht
er in diesem, bald in jenem Getto auf, kauert bald in
diesem, bald in jenem Lehrhaus. Keiner kümmert sich
um ihn, er ist eben der alte taubstumme Jude, der von
irgendwoher gekommen ist, dem man das Notwendigste
zuschiebt, den zwar jede Generation kennt, aber immer
für jemand anderen hält, der einem anderen uralten,
taubstummen Juden gleicht, den angeblich die ältere
Generation gekannt haben soll. Er ist auch eigentlich so
gut wie nichts, ein Schatten bloß, eine Erinnerung, eine
Legende; was er braucht, etwas Brot, etwas Wasser,

etwas Wein, etwas Schnaps, je nachdem, er nippt ja nur, starrt mit seinen großen Augen ins Leere, nickt nicht einmal zum Dank. Wahrscheinlich verblödet, altersschwach. Es ist ihm auch gleichgültig, was man von ihm denkt, gleichgültig, wo er sich befindet, die Verfolgungen, die Pogrome berühren ihn nicht, er ist nun so alt, daß sich auch niemand mehr von den Feinden seines Volkes gegen ihn wendet; der Großinquisitor war der letzte, der ihn beachtete. Anan ben David ist längst in Osteuropa untergetaucht, im Lehrhaus des großen Maggids von Mesritsch heizt er während Jahren im Winter den Ofen, wohl eine chassidische Sage; wo er sich sommers über aufhält, weiß niemand zu berichten. Im zweiten Weltkrieg endlich holt ihn ein Naziarzt aus einer langen Schlange nackter Juden, die sich einer der Gaskammern von Auschwitz zuwälzen; er hat mit dem kleinen Greis einige Experimente vor, friert ihn ein, fünf, zehn, fünfzehn Stunden minus hundert Grad, zwei Wochen, zwei Monate, der Jude lebt noch immer, denkt an irgend etwas, ist eigentlich nie da; der Arzt gibt es auf. Zurückschicken mag er ihn auch nicht, er läßt ihn in Ruhe, hin und wieder befiehlt er ihm, das Laboratorium zu säubern. Plötzlich ist der Jude verschwunden, und schon hat ihn der Nazi vergessen. Aber indem die Jahrhunderte versinken, werden für Anan ben David die Jahrhunderte, die er mit Abu Chanifa im Gefängnis zugebracht hat, in diesem elenden Verlies in Bagdad, immer bedeutender, gewaltiger, strahlender. Zwar hat er Abu Chanifa längst vergessen, er bildet sich ein, allein im finsteren Kerker gewesen zu sein, in den ihn al-Mansur hatte werfen lassen (auch an dessen Namen erinnert er sich nicht mehr), aber es scheint ihm nun, als habe er

während all den endlosen Jahren mit Jahwe geredet, und
nicht nur geredet, als habe er seinen Atem gespürt, ja sein
unermeßliches Antlitz gesehen, so daß dieses erbärmliche
Loch, das ihn gefangengehalten hatte, ihm immer mehr
als das gelobte Land vorkommt und sich sein ganzes
Denken, wie das Licht in einem Brennpunkt, auf diesen
einen Ort konzentriert und zur übermächtigen Sehnsucht
wird, dahin zurückzukehren, zurück an diesen heiligen
Ort, ja, daß er nur noch lebt, weil diese Sehnsucht der
Rückkehr in ihm ist und nichts anderes mehr, wobei er
freilich längst vergessen hat, wo sich dieser heilige Ort
nun eigentlich befindet, so wie er Abu Chanifa vergessen
hat: Dieser indessen, immer noch in seinem Verlies kau-
ernd, von den von Zeit zu Zeit herabfallenden Wasser-
tropfen zu einer Art Stalagmit geworden, mit einem
Funken Leben, hat Anan ben David ebenfalls seit Jahrhunderten vergessen, so wie auch der alte Sabier Abu
Chanifa vergessen hat; er ist immer seltener gekommen
und schließlich ganz ausgeblieben. Vielleicht daß der
einäugige, verrostete Götze ihn erschlug, als er sich von
der Wand löste. Dennoch bleibt die Schüssel von Abu
Chanifa nicht leer, die Ratten, die einzigen Lebewesen,
die sich in den über- und durcheinandergebauten
Gefängnissen auskennen, schleppen ihm das Wenige herbei, das er zu seiner Nahrung braucht. Ihr Leben ist
kurz, aber die Sorge für den vergessenen Gefangenen
vererbt sich, er ist ihr Freund seit unzähligen Rattengene-
rationen, er teilte einst sein Essen mit ihnen, und nun
teilen sie das ihre mit ihm. Er nimmt dennoch ihren
Dienst wie selbstverständlich hin, kaum daß er hin und
wieder ihre Pelze streichelt, immer seltener, je mehr er
versteinert, sind doch seine Gedanken anderswo: Auch

ihm kommt es vor, als habe er während Jahrhunderten
mit Allah geredet, allein in diesem finsteren Kerker, und
das elende Verlies, in welchem er kauert, ist für ihn längst
kein Verlies mehr. Den Kalifen hat er längst vergessen,
manchmal gibt er sich Mühe, sich an den Namen zu
erinnern; die lächerliche Meinungsverschiedenheit, die
ihn ins Gefängnis gebracht hat – er weiß nicht einmal
mehr, worum es sich in diesem Streit gehandelt hat; auch
ist es ihm nicht bewußt, daß er eigentlich schon längst
den Kerker hätte verlassen können, daß niemand ihn
hindern würde. Was ihn erfüllt, ist die Gewißheit, sich an
einem heiligen Ort aufzuhalten, nur schwach hin und
wieder erhellt, roh behauene Steinquader, schimmernd im
Dunkeln, aber geheiligt durch den, der zu ihm gesprochen hat, durch Allah selbst; und was ihn am Leben
erhält, ist die Aufgabe, diesen Ort durch sein Ausharren
zu hüten als sein, Abu Chanifas Eigentum, ihm von
Allah selbst übergeben. So wartet Abu Chanifa denn auf
die Stunde, da Allah in seiner Barmherzigkeit wieder zu
ihm sprechen, da er wieder seinen Atem spüren und sein
unermeßliches Antlitz sehen würde. Er wartet mit der
ganzen Sehnsucht seines Herzens, mit der glühenden
Kraft seines Geistes auf diese Stunde, und sie kommt auf
ihn zu, wenn auch anders als erwartet: Anan ben David
ist auf seinen Irrfahrten nach Istanbul gekommen, zufällig, er weiß nicht einmal, daß er in Istanbul ist. Er hockt
seit Wochen vor einer alten Synagoge, fast eins mit dem
Gemäuer, grau und verwittert wie dessen Steine, bis ihn
ein betrunkener Schweizer entdeckt, ein Bildhauer, der,
wenn er nicht betrunken ist, gewaltige eiserne Geräte und
Blöcke zusammenschweißt. Der Schweizer starrt den
kleinen, uralten, zwerghaften Juden an, legt ihn über

seine mächtigen Schultern und schleppt ihn zu einem
verrosteten zusammengeflickten Volkswagenbus. Das
heißt, in Istanbul ist der Schweizer noch nicht eigentlich
betrunken, nur angesäuselt, aber dann durch Anatolien
hindurch von Station zu Station berauschter, offenbar
versucht er, in seinem Kleinbus Whisky zu schmuggeln,
um sich Geld für seine Eisenplastiken zusammenzu-
verdienen, nicht ohne Geschick offenbar, wobei freilich
der Whisky sich bedenklich vermindert und damit der
Gewinn: Bei jedem Grenzposten, bei jeder Polizeista-
tion, bei jeder Kontrolle zeigt er großzügig den Whisky
vor, und ein unendliches Fest beginnt, mit dem Er-
folg, daß die Grenzposten, die Polizeistationen und
Kontrollen noch betrunkener sind als der Schweizer.
Anan ben David hatte jedesmal bezeugt, indem er, wie
immer sich stumm stellend, den Kopf schüttelte, daß der
Whisky im Koran nicht verboten ist; dazu hat ihn der
Schweizer auch mitgenommen, in der Meinung, das
uralte Wesen sei ein Moslem, ein Zusammenhang, auf
den Anan ben David, in Jahwe versenkt und in Erwar-
tung seines Wiedertreffens mit ihm, nicht kommt. In
Bagdad aber, ohne daß Anan ben David freilich weiß,
daß er in Bagdad ist, glaubt er doch in Argentinien oder
in Wladiwostok zu sein, so sehr sind ihm die Kontinente
und die Erinnerungen durcheinandergeraten nach jahr-
hundertelangem Irren, in Bagdad aber saust der Schweizer in eine Verkehrsinsel, mit über hundertzwanzig
Sachen auf dem Gashebel, wo man doch nur sechzig – die
Verkehrsinsel, Verkehrspolizist, Bildhauer und Kleinbus
stehen lichterloh in Benzin- und Whiskyflammen, alles
explodiert, verpufft in einer gelben Rauchsäule Old
Smuggler, samt einer der größten Kunsthoffnungen Hel-

vetiens. Nur Anan ben David verschwindet in der Menschenmenge, die sich zusammenstaut, die tutenden Polizei- und Sanitätswagen am Herankommen hindert: Vom Schweizer ist nur noch eine schwörende Hand übrig, auf was sie schwor, ist nicht mehr auszumachen. Anan ben David eilt Luxusgeschäften entlang, biegt um ein Hochhaus, als er bemerkt, daß er von einem weißen Hund verfolgt wird. Der Hund ist hochbeinig und nackt, seine Haare sind ihm ausgefallen. Anan ben David flieht in eine Seitengasse, die Häuser sind uralt oder scheinen uralt, so verwahrlost sind sie, obgleich doch das Hochhaus ganz in der Nähe sein muß, auch wenn es nicht mehr sichtbar ist. Anan ben David erblickt den Hund nicht mehr, aber er weiß, daß dieser ihm folgt. Er öffnet die Tür eines alten baufälligen Hauses, betritt einen Hof voller Schutt, über den er klettert, im Boden findet er eine Öffnung, halb ein Brunnenschacht, halb eine Höhle. Eine Ratte starrt ihn bösartig an, verschwindet, in der Haustür erscheint der weiße nackte Hund, bleckt die Zähne. Anan ben David steigt in die Höhle hinab, ertastet Stufen, steigt hinunter, befindet sich in endlosen Gängen, die Finsternis ist vollkommen, aber er geht weiter. Er weiß, daß der nackte weiße Hund ihm nachschleicht, daß ihn die Ratten erwarten. Plötzlich fühlt er sich heimatlich, zu Hause, er bleibt stehen. Er weiß, ohne es zu sehen, daß vor ihm ein Abgrund ist, bückt sich, seine Hände sind im Leeren, fassen eine Leiter, er steigt hinab, furchtlos, gelangt auf festen Boden, ein neuer Abgrund, wieder tasten seine Hände im Nichts, wieder ist auf einmal eine neue Leiter da. Er steigt hinunter, die Leiter schwankt, oben kläfft der Hund. Jetzt weiß er den Weg, geht durch die niedrigen Gänge, findet die niedrige

eiserne Türe, die Querbalken sind verfault, die Tür zer-
fällt in Staub, wie er sie berührt, so sehr ist sie verrostet,
er kriecht in das gelobte Land: in seine Zelle, in sein
Verlies, in sein Gefängnis, in seinen Kerker, in welchem
er mit Jahwe geredet hat, an die unbehauenen rohen
Quader, den feuchten Boden. Er läßt sich nieder. Ein
unendlicher Friede senkt sich auf ihn, der Friede seines
Gottes, der Friede Jahwes. Doch plötzlich schließen sich
zwei Hände um seinen Hals. Abu Chanifa fällt ihn an, als
sei Anan ben David ein wildes Tier, eine Bestie, die in
sein, Abu Chanifas Reich gedrungen ist, das doch Allah
gehört, und Abu Chanifa ist nur von der heiligen Pflicht
beseelt, diesen Eindringling, der seine Freiheit bedroht,
zu töten: denn seine Freiheit besteht nicht bloß darin,
daß dieses erbärmliche Verlies sein Verlies ist, Abu Chanifas Verlies, sondern daß es von Allah als sein, Abu
Chanifas Verlies geschaffen worden ist, während sich
Anan ben David mit der gleichen Wut verteidigt: Der,
welcher ihn angreift, hat von seinem, Anan ben Davids
gelobtem Land Besitz ergriffen, vom Ort, wo Er, Jahwe,
mit ihm, seinem unwürdigen Diener, gesprochen hat, wo
er dessen Atem gespürt, dessen unermeßliches Antlitz
geschaut hat. Der Kampf ist mörderisch, ohne Gnade;
jeder verteidigt mit seiner Freiheit die Freiheit seines
Gottes, einen Ort für den zu bestimmen, der an ihn
glaubt. Und der Kampf ist um so schwerer für Anan ben
David, als ihn unzählige Ratten überfallen, sich wütend,
blutgierig in ihn verbeißen. Ermattet weichen die beiden
Kämpfer voneinander, Anan ben David am Ende seiner
Kraft, er weiß, einem neuen Angriff seines Gegners und
der Ratten ist er nicht mehr gewachsen. Da schmiegen
sich allmählich, zögernd zuerst, die Ratten, die Anan ben

David doch angegriffen haben, diese fürchterlichen
Bestien, an ihn und lecken seine Wunden; sie haben ihn
im vererbten Instinkt unzähliger Generationen wiederer-
kannt, und wie sie ihn lecken, spürt er die unmittelbare
Nähe Jahwes, seines Gottes, er beugt sich unwillkürlich
vor, um im ungewissen dämmerhaften Licht seinen Gegner zu erkennen, und sein Gegner beugt sich ihm entgegen, mühsam, den Kalksandstein zerbrechend, der ihn
wie ein Panzer umgibt, doch schon zerbrochen, da vorhin sein Haß ihn aufbrach. Anan ben David starrt Abu
Chanifa ins Gesicht und Abu Chanifa ins Gesicht Anan
ben Davids: Jeder, uralt geworden durch die unzähligen
Jahrhunderte, starrt sich selber an, ihre Gesichter sind
sich gleich. Aber allmählich weicht in ihren fast blinden,
steinernen Augen der Haß, sie starren sich an, wie sie auf
ihren Gott gestarrt haben, auf Jahwe und Allah, und zum
erstenmal formen ihre Lippen, die so lange geschwiegen
haben, jahrtausendelang, das erste Wort, nicht einen
Spruch des Korans, nicht ein Wort des Pentateuchs, nur
das Wort: Du. Anan ben David erkennt Abu Chanifa,
und Abu Chanifa erkennt Anan ben David. Jahwe ist
Abu Chanifa und Allah Anan ben David gewesen, ihr
Kampf um die Freiheit war eine Sinnlosigkeit. Abu Chanifas versteinerter Mund formt sich zu einem Lächeln,
Anan ben David streicht zögernd durch das weiße Haar
seines Freundes, fast scheu, als betaste er ein Heiligtum.
Abu Chanifa begreift gegenüber dem uralten kleinen
Juden, der da vor ihm hockt, und Anan ben David erkennt
gegenüber dem Araber, der vor ihm auf den Fliesen des
Kerkers kauert, daß beider Eigentum, das Gefängnis des
Abu Chanifa und der Kerker des Anan ben David, die
Freiheit des einen und die Freiheit des anderen ist.

Smithy

1961–1976

Seine Schwierigkeiten begannen schon am Morgen, sie waren unerwartet und deprimierten um so mehr, als sich J.G. Smith – diesen Namen hatte er nach vielen anderen schließlich angenommen –, wenn nicht arriviert, so doch gesichert gefühlt hatte; sein Einkommen erreichte eine Höhe, auf der sich gerade leben ließ, die Behörde tolerierte ihn, zwar nicht offiziell, aber mehr oder weniger; um so blödsinniger nun Leibnitz' Schwanken. Natürlich war Leibnitz zu ersetzen, durch jeden Medizinstudenten mit einiger Übung im Sezieren; aber J.G. Smith hing nun einmal an Leibnitz, der Mensch verdiente weiß Gott anständig, und wenn Leibnitz auch die Erlaubnis bekommen hatte – eben diesen Morgen war sie ihm zugestellt worden –, wieder eine Arztpraxis zu eröffnen, so mußte er sich doch im klaren sein, daß ihm diese Erlaubnis nichts mehr nützte, nicht der früheren Verfehlungen wegen – Abtreibungen und ähnliches –, sondern weil Leibnitz nun bald vier Jahre bei J.G. Smith gearbeitet hatte, eine zu lange Zeit, um sich noch zurückziehen zu können; angenehm, das Leibnitz unter die Nase reiben zu müssen, war es gerade nicht, aber schließlich hatte Leibnitz kapiert, auch daß er die Lohnerhöhung nicht erhielt, da war Smith unerbittlich, man droht nicht mit einer Kündigung, bei ihm nicht, eine Haltung, die Smith bei dem neuen Bullen natürlich nicht einnehmen konnte: der ging auf Pulver aus und erhielt das Pulver, gegen Naturgesetze ließ sich nichts ausrichten. »Sehn Sie mal, Smithy«, hatte der Neue gleich zu Beginn der Unterredung erklärt, wobei er in den Zähnen herumstocherte – sie standen an der Ecke Lexington/52. Straße, gegenüber baute die City Bank –, »sehn Sie mal, Smithy, gewiß, der alte Miller hatte vier Kinder, und ich bin ledig, aber ich habe nun eben einen höheren Begriff vom Leben«, und auf die vage Drohung Smithys, sich an den Hafeninspektor zu wenden, der ihn schließlich auch toleriere, überhaupt, mit dem er befreundet sei, antwortete der Bulle nur, na ja, dann fliege die Angelegenheit eben auf. Schwierigkeiten, nichts als Schwierigkeiten. Dazu die Hitze, und erst dritter Mai, man hätte denken können, es sei Hochsommer, Smithy schwitzte unaufhörlich, schon als Leibnitz mit seinen Forderungen aufgetaucht war, hatte er geschwitzt, alles flimmerte vor Hitze, Brooklyn war kaum zu sehen, Air-Conditioning konnte Smithy sich jetzt nicht mehr leisten, man roch die Leichen, dem Hausmeister war es gleichgültig, und Smithy hatte seine Wohnung woanders, und telefonisch war er auch noch bei Simpson zu erreichen, auch war Leibnitz an alles gewöhnt, aber peinlich war es doch, hin und wieder verirrte sich ein Kunde, geriet in den Sezierraum, statt sich bei Simpson an die Bar zu setzen, und immer konnte Leibnitz die Leichen auch nicht im Kühlraum aufbewahren, er mußte sie auf den Seziertisch schleppen, wenn er sich an die Arbeit machte, überhaupt, überlegte Smithy, sollte man das Ganze als Laboratorium tarnen, als etwas Technisches, Blitzblankes, Weißgekacheltes – was jetzt unter der Triboro Bridge installiert war, hatte einen dubiosen Anstrich. Sicher, schätzenswerte Vorzüge mußten erwähnt werden: die Nähe des West Rivers vor

allem. Smithy fluchte; nach Hause zu gehen, zu du-
schen, das Hemd zu wechseln, fehlte die Zeit. Zur
Hitze kam der Gestank. Nicht der Leichengeruch am
Morgen, dieser Geruch gehörte zu seinem Beruf und
störte ihn ebensowenig wie der Geruch von Leder einen
Gerber, nein, der Geruch der Stadt machte ihn rasend,
dieser Geruch, den er haßte, der allen Dingen anhaftete,
glühend und klebrig, verpappt mit unendlichen Staub-
und Kohlemolekülen, Ölpartikelchen, eins mit dem
Asphalt, mit den Häuserfronten, den dampfenden Straßen. Er soff. Schon während der Unterredung mit Leibnitz hatte er getrunken. Gin. Mit dem neuen Bullen war
er in den Drugstore vom Belmont gegangen. Zwei
Schlitz. Später trank er mit dem Hafeninspektor irgendwo in der 50. Bourbon. Der Hafeninspektor trank Bier,
aß zwei Steaks, Smithy rührte sein Steak nicht an, der
Polizeichef, der dann später doch kam, wie der Hafeninspektor versprochen hatte, war ein ekelhafter Intellek-
tueller, überhaupt kein Bullentyp, irgendein Eierkopf,
der sich seinen Posten durch schwule Querverbindungen
ergattert hatte, stellte sich Smithy vor, die Fronten wurden immer undurchsichtiger, der Gangster neulich, dem
Smithy die Millionärstochter hatte verschwinden lassen,
auch ein Schwuler, war früher Priester gewesen. Lief
noch so herum. Aber vielleicht war der Polizeichef gar
kein Schwuler, die Kellnerin vorhin hatte er geil ange-
sehen, vielleicht war er ein Kommunist. Er war über den
Priester im Bilde, hatte ihn ja an Smithy vermittelt, nicht
der Hafeninspektor, wie Smithy zuerst geglaubt hatte.
Nun mußte Smithy dem Polizeichef noch die Millionärstochter bezahlen, dabei hatte er schon den Hafeninspektor bezahlt, ein verdammtes Verlustgeschäft. Smithy

trank den Bourbon aus. Eigentlich hätte er zu Simpson gehen sollen, aber der Polizeichef kam ins Reden. Der Kerl konnte sich das Schwafeln ja leisten, für den spielte Zeit keine Rolle, dazu die Sauhitze trotz Air-Conditioning: Es sei besser, der Sanitätsdienst übernehme das Ganze, natürlich Geheimhaltung, auch Holy (der Priester) meine, es sei zu riskant, die Angelegenheit einer Privatperson wie Smithy zu überlassen, der Priester sei der neue heimliche Boss im Revier. Smithy ging wieder zu Gin über. Das Steak ließ er immer noch unberührt, der Polizeichef quatschte weiter: die alte Art, die Verbrechen zu bekämpfen, sei unwirksam geworden, der Staat müsse heute mit dem Verbrechen leben, seit er sich mit Holy verstehe, gingen auch die Verbrechen zurück, es liege an der Toleranz, Smithy müsse kapieren, daß sein ständiges Lavieren zwischen dem legalen und dem illegalen Lager vorbei sei, weil nun die Legalität die Illegalität wenn auch nicht ausgerottet habe, so doch steuere, sonst würde, wenn Smithy kein Einsehen habe, eben der Sanitätsdienst eingeschaltet, schlimmstenfalls die Hafenpolizei, auch wenn gewisse hygienische Bedenken bestünden. Smithy verlangte Kaffee, nahm drei Stück Zucker, rührte mit dem Löffel. »Wieviel?« »Die Hälfte pro Fall«, sagte der Polizeichef, nahm seine randlose Brille, hauchte sie an, reinigte sie, setzte sie wieder auf, betrachtete Smithy wie ein Forscher eine Laus. Der Hafeninspektor stocherte in den Zähnen wie der Bulle gegenüber der City Bank. Der Polizeichef setzte seine Brille wieder ab, reinigte sie noch einmal, Smithys Anblick widerte ihn an. Zu dem Tarif sei nicht zu arbeiten, sagte Smithy, er müsse Leibnitz das Doppelte zahlen, das Schwein sei wieder ein legitimer Mediziner. Schön, sagte der Polizeichef, nachdem er noch einen

Kaffee bestellt hatte, er rede mit dem Sanitätsdienst. Smithy bestellte noch einen Gin. »Tut mir leid, Smithy«, sagte der Hafeninspektor. Smithy gab nach, in der Hoffnung, sich irgendwo hinter dem Rücken der Polizei mit Holy zu arrangieren, es gab immer wieder Abmachungen, von denen der Polizeichef nichts wissen durfte, so wie es Abmachungen gab, die Holy nichts angingen – und bestellte noch ein Schlitz. Aber als er gegen Mitternacht in Tommey's französischem Restaurant, von dem niemand wußte, warum es ein französisches Restaurant sein sollte, nun doch ein Steak aß und Pommes frites, setzte sich statt Holy van der Seelen zu ihm, der sich als Russe oder Pole ausgab, je nach Bedarf, aber wahrscheinlich ein Italiener oder Grieche war und ganz anders hieß; einige behaupteten auch, er sei wirklich ein Holländer, aber heiße nicht van der Seelen, sondern wie Käse auf dänisch; auf alle Fälle war er vor zwei Jahren als halbkrepierter Emigrant aus dem verfluchten Europa herübergeschwommen, das all diese Ratten erzeugte – der Präsident sollte einmal einschreiten –, jetzt steckte er in einem verdammt teuren Anzug, Seide, unerträglich parfümiert, eine Havanna rauchend, Monte Christo. Holy sei leider verhindert, sagte van der Seelen. »Geschäftlich?« fragte Smithy, den es nichts anging, verärgert, weil er sich mit Holy absprechen mußte. »Eigentlich schon«, antwortete van der Seelen, bestellte sich einen Hummersalat und sagte, Holy liege wahrscheinlich schon in Smithys Kühlraum oder vielleicht gar auf Leibnitz' Seziertisch. »Schade um den Schwulen«, bedauerte Smithy, betrachtete van der Seelen nachdenklich und nahm sich vor, einmal nachzufragen, was Käse auf dänisch heiße, ein Straßenbulle unter der Triboro Bridge war Schwede, und dann dachte er, ob der Polizeichef wohl schon wisse, daß nun ein anderer als Holy der Boss war. Van der Seelen grinste ihm väterlich zu: »Einer war zuviel im Revier. Wir werden schon miteinander auskommen, Smithy.« Er müsse leider den Tarif erhöhen, sagte Smithy, Leibnitz sei teurer geworden. Van der Seelen schüttelte den Kopf. »Ich habe geheiratet, Smithy, letzte Woche«, meinte er. »Na und?« fragte Smithy. Seine Frau habe einen Bruder, Medizinstudent, bloß fixe der leider, verdammt teurer Spaß. Smithy begriff: »Machen wir's zum alten Tarif«, schlug er vor. »Zehn Prozent weniger«, antwortete van der Seelen, »schließlich muß ich meinen Schwager unterstützen.« Smithys Geschäft stand schlechter denn je, dazu immer noch diese Mordshitze, es war, als tauche er in eine heiße Brühe, als er aus Tommey's französischem Restaurant trat. Eigentlich wollte er nach Hause, in seine drei möblierten Zimmer mit Küche und Bad, scheußlich eingerichtet, deutsch, mit unleserlichen Büchern vollgestopft, eine Wohnung, die er vom Professor übernommen hatte, Leibnitz' Vorgänger, ein muffiger Stall, nie gelüftet, nie gereinigt, aber ein Luxus, dachte er an den Verschlag zurück, worin er jahrelang in der Bronx gehaust hatte. Nun, wenn es geschäftlich so weiterging mit den neuen Partnern, würde er bald in einem Kellerloch landen, der Polizeichef war ein Kommunist, das war Smithy klar, und van der Seelen ein Jude, das war noch klarer, ein vielleicht holländischer Jude, der wie Käse auf dänisch hieß; das beste war, Smithy haute ab, nach Los Angeles oder so, abhauen und dort einen neuen Laden aufmachen, einen wie Smithy hatte man überall nötig, Leichen mußten überall verschwinden. Gegenüber Tommey's französischem Restaurant war eine kleine Bar.

Smithy ging über die Straße, ein Auto stoppte, schlitterte, der Fahrer fluchte. In der Bar verlangte Smithy noch einen Gin, am besten, man besoff sich. Durch die offene Bartür sah er van der Seelen in seinen Cadillac steigen, zu Sam, seinem Fahrer. Smithy kippte den Gin hinunter und ging dann doch nicht nach Hause. Van der Seelens fettes Gesicht hatte ihn plötzlich traurig gemacht, Holy tat ihm leid. Smithy schneuzte sich, als er dem Taxifahrer eine Straße in der Nähe der Triboro Bridge nannte, Holy hatte noch an eine Gerechtigkeit geglaubt, überhaupt ständig von Gott geredet, komisch bei seinem Job, Smithy war sicher, daß der Schwule heimlich seinen Rosenkranz gebetet hatte, wenn Smithy sich darunter auch nichts vorstellen konnte. Der Taxifahrer redete vor sich hin, auf spanisch, unaufhörlich, Smithy war froh, als das Taxi die angegebene Straße erreicht hatte, der Taxifahrer kam ihm irre vor, aber die Hitze machte allen zu schaffen. Smithy hatte noch einige Häuserblöcke entlang zu gehen und dann zum West River hinunter, nach alter Gewohnheit ließ er sich nie an seinem Arbeitsplatz absetzen. Die Straßen, enge Schluchten, in eine sinnlose Urlandschaft gesprengt, waren scheinbar leer, aber auf den Gehsteigen, den Mauern entlang und auf den Balkonen lagen Menschen und schliefen, halbnackt und nackt, bei der schlechten Beleuchtung kaum zu erkennen, aber überall anwesend als etwas Tierisches, Schwammiges, Smithy lief wie durch heiße, schnarchende, nasse Wände, er schwitzte, er hatte zuviel getrunken. Er erreichte das halbzerfallene Lagerhaus. Im vierten Stock befand sich Leibnitz' Arbeitsraum, nicht gerade praktisch, aber Leibnitz hatte auf diesen Räumlichkeiten bestanden, überhaupt, wie im einzelnen Leibnitz' Arbeit

vor sich ging und wie er es schaffte, die Überreste –
irgendwelche mußte es doch geben, wenn auch offenbar
minimale – fortzuschaffen, irgendwohin vom vierten
Stock aus, das war Smithy nie recht klargeworden, vielleicht löste sich alles in Flüssigkeit auf und rauschte in die
Kanalisation. Smithy schauderte, dachte er daran, daß
vor Leibnitz der Professor seine Arbeit noch in der
Wohnung verrichtet hatte, in der Smithy jetzt hauste,
wenn auch damals der Umsatz noch gering war, nur eine
Leiche im Monat. Schon hatte Smithy die Tür aufgeschlossen, in der vagen Hoffnung, Holy doch noch
einmal zu sehen, wenn auch als Leiche, als in diese
Hoffnung hinein, betrunken wie Smithy nun einmal war,
voll sentimentaler Pietät, eine Stimme hinter ihm von der
Straße her sagte: »Ich will mit dir schlafen.« Smithy, die
Klinke der halbgeöffneten Tür in der Hand, im Begriff,
über die Schwelle zu treten, schaute zurück. Eine Frau
stand dicht hinter ihm vor der Türe, nur als Silhouette zu
erkennen, Smithy hatte die Treppenbeleuchtung nicht
eingeschaltet. Irgendeine Nutte, dachte er. Smithy wollte
schon die Türe vor ihr zuschlagen, als ihn plötzlich ein
wilder Humor packte. »Komm«, sagte er und tappte
ohne Licht zum Lift. Die Frau folgte, er spürte sie in
der Brutofenwärme des Korridors, der Lift kam von
oben herab. Sie standen dicht beieinander, es dauerte
einige Zeit bis der Lift – ein Warenlift, alt, langsam –
unten war, Smithy in seiner Betrunkenheit vergaß die
Frau. Erst als er sich im hell erleuchteten Lift an die
Wand lehnte, fiel sie ihm wieder auf, erinnerte er sich,
daß er sie mitgenommen hatte. Sie war etwa dreißig,
schlank, strähniges dunkles Haar, große Augen, vielleicht schön, vielleicht nicht, in seiner Besoffenheit

brachte Smithy die Erscheinung nicht ganz zusammen, der Eindruck von etwas Vornehmem, von etwas Unge- wöhnlichem drang durch seinen Rausch, ein irgendwie ungemütlicher Eindruck, ihr Kleid mußte wahnsinnig teuer sein, und die Figur darunter war zwar in Ordnung, paßte jedoch nicht in die Umgebung, wieso, wußte Smithy nicht, er fühlte es nur, ihr Körper war einfach kein Nuttenleib, und obwohl ihm nebelhaft schwante, daß er sich in dieses Abenteuer nicht einlassen sollte, setzte er den Lift in Bewegung. Die Frau starrte ihn an, nicht spöttisch, auch nicht ängstlich, nur gleichgültig. Er schätzte sie jetzt auf fünfundzwanzig, er war es gewohnt, das Alter der Menschen abzuschätzen. Beruflich. »Wieviel?« fragte Smithy. »Gratis.« Wieder wurde Smithy von einem teuflischen Humor gepackt, die sollte etwas erleben, er stellte sich vor, wie sie die Fassung verlieren würde, das verdammt Vornehme, das ihn auf einmal störte, wie sie schreien würde, die Treppe hinun- terrasen, zu den Bullen womöglich, und wie die einfach grinsen würden. Als er sich das vorstellte, grinste er sie an, doch sie verzog keine Miene starrte ihm einfach ins Gesicht. Der Lift hielt, Smithy trat heraus, öffnete die Türe zum Sezierraum, ging hinein, ohne sich nach der Frau umzusehen. Sie folgte ihm, blieb in der Türe stehen. Smithy trat zum Seziertisch, starrte auf Holy, der nackt und tot dalag, Einschüsse in der Brust, erstaunlich sau- ber, Leibnitz mußte die Leiche gewaschen haben. Über der Rückenlehne eines Stuhls lag Holys Priesterrock, sorgsam zusammengefaltet, und Holys Unterwäsche, zinnoberrot, Seide. »Kein Rosenkranz?« fragte Smithy. »Sonst nichts«, sagte Leibnitz, »außer dem da«, und deutete in die Ecke neben dem Fenster: Gurte mit Munition, Revolver, eine Maschinenpistole, einige Handgranaten. »Alles unter dem Priesterrock versteckt, ein Wunder, daß das Ganze nicht hochging!« Leibnitz ließ Wasser in eine alte Badewanne laufen, die Smithy zum ersten Mal sah. »Ich glaube, der war überhaupt kein Priester. Nur ein Schwuler.« »Auch möglich«, sagte Smithy, »eine Neuanschaffung?« Er betrachtete die Kanister und Flaschen, die herumstanden. »Was?« fragte Leibnitz. »Die Wanne«, sagte Smithy. Die sei schon immer dagewesen, antwortete Leibnitz und schob den Wagen mit den chirurgischen Instrumenten zum Seziertisch. »Du kannst auch nicht Dänisch?« »Nein«, antwortete Leibnitz. Smithy wandte sich enttäuscht ab, sah die Frau, die immer noch in ihrem teuren Kleid in der Tür stand, nachlässig mit der linken Schulter an den Türpfosten gelehnt. Er hatte sie wieder vergessen und erinnerte sich plötzlich, daß er sich vorgestellt hatte, sie würde schreien, zu den Bullen rennen. »Hau ab«, sagte Smithy wütend, aber er wußte schon, daß es eine Phrase war. Sie schwieg. Ihr Gesicht war nicht geschminkt, ihr Haar hing in langen weichen Strähnen. Smithy fror, es war so heiß, daß ihm plötzlich eiskalt wurde, dann fragte Smithy: »Leibnitz, wo schläfst du eigentlich?«, ohne die Frau aus den Augen zu lassen, die immer noch an dem Türpfosten lehnte. »Ein Stockwerk höher«, sagte Leibnitz, während er schon in Holy hineinschnitt. Smithy ging zu der Frau. Sie sagte nichts, betrachtete ihn gleichgültig. »Geh in den Lift«, sagte Smithy. Wieder lehnten sie einander gegenüber an den Liftwänden, minutenlang einander betrachtend. Smithy schloß das Gitter, durch die offene Tür des Sezierraums konnte er Leibnitz eifrig an Holy herumschneiden sehen. Dann fuhr der Lift nach oben, hielt.

Die beiden bewegten sich nicht. Smithy betrachtete die Frau, die Frau betrachtete ihn, als sei er irgend etwas Nebensächliches, überhaupt nicht vorhanden und doch vorhanden, sie schaute nicht einfach ins Leere, sie tat nicht, als ob sie ihn nicht sähe, das war das Wahnsinnige. Im Gegenteil, sie beobachtete ihn, erforschte ihn, tastete mit ihrem Blick jede Pore seines unrasierten, verschwitzten Gesichts ab, glitt jeder Falte nach, und dennoch blieb er ihr gleichgültig, sie wollte einfach bestiegen werden wie ein Tier von einem Tier, und Tiere, dachte Smithy, sind einander wohl auch gleichgültig, er dachte es nebenbei, während er sie betrachtete, ihre Schultern, ihre Brüste unter dem raffinierten Kleid, und dabei dachte Smithy an Holys nackten Leichnam, den Leibnitz ein Stockwerk tiefer auseinanderschnitt. Kalter Schweiß lief über Smithys Gesicht, er fürchtete sich, er brauchte etwas Nahes, Weiches, Warmes in dieser Kälte, zu der die Hitze erstarrt war, er riß die Frau mit sich, stieß die Tür dem Lift gegenüber auf, zog die Frau ins Zimmer, sah undeutlich eine Matratze, warf die Frau darauf, nur vom Lift her drang Licht durch die offene Türe, und als er die Frau genommen hatte, die alles hatte geschehen lassen, suchte er seine Hose, auf allen vieren, er hatte sie irgendwohin geschleudert, und sie lag außerhalb des Lichtscheins, den der Lift ins Zimmer warf, lächerlich das Ganze, idiotisch. »Taxi«, sagte die Frau ruhig. Smithy stieg in die Hose, stopfte das Hemd hinein, suchte seinen Kittel, fand ihn, über Bücher stolpernd, das ganze Zimmer schien voller Bücher zu sein, wie zu Hause, wo immer noch die Bücher des Professors herumlagen, nur daß hier keine Möbel waren außer der Matratze, unsagbar, wie Leibnitz heruntergekommen war, dabei verlangte der Strolch noch mehr Prozente. Licht machte Smithy nicht, er schämte sich, obgleich er wieder dachte, vor einer Hure brauche er sich nicht zu schämen, aber er wußte plötzlich, daß sie keine Hure war. Die Frau lag immer noch auf der Matratze, im Licht des Lifts, nackt, weiß, Smithy wunderte sich, er konnte sich eigentlich an nichts mehr erinnern, er mußte ihr das Kleid heruntergerissen haben, schön, sollte sie eben sehen, wie sie es zusammenflickte, offenbar hatte ihn das teure Kleid wütend gemacht, überhaupt konnte sie sich nun selber kümmern, sie war ihm nachgestiegen, nicht er ihr, aber dann ging Smithy doch zu Leibnitz hinunter, trat in die immer noch offene Tür des Sezierraums, von Holy war nur noch der Rumpf übrig, unglaublich, was Leibnitz leistete, plötzlich war Smithy stolz auf ihn. Leibnitz hatte weiß Gott seine Prozente verdient, er schaute ihm zu, wie Leibnitz immer wieder in der Badewanne herumrührte, in irgendeinem breiigen Schaum, dann gurgelte es, und die Badewanne leerte sich langsam. Eigentlich praktisch, Smithy wurde andächtig ob der Hinfälligkeit alles Irdischen, dann sah er die Frau wieder in der Tür stehen, wie vorhin, wieder im Kleid, das unbeschädigt war, sie mußte es doch wohl selbst ausgezogen haben. Smithy wurde verlegen, wahrscheinlich weil er sich über die Hinfälligkeit des Irdischen Gedanken gemacht hatte, aber er glaubte kaum, daß sie es bei dieser Hitze bemerkt haben konnte, die er auf einmal wieder spürte, die ihn anfiel, der Schweiß rann an ihm nieder, er kam sich ekelhaft vor. Er ging ans Telefon auf dem Fensterbrett, rief van der Seelen an, den er noch nie angerufen hatte, aber von Sam kannte er seine Nummer. Es dauerte, bis van der Seelen den Anruf entgegennahm, jedesmal kam

wieder ein anderer an den Apparat und sagte, van der
Seelen sei nicht zu sprechen, aber als er endlich doch zu
sprechen war, weil Smithy einfach immer wieder anläute-
te, und van der Seelen brüllte, was Smithy denn eigentlich einfalle, brüllte Smithy zurück, er verlange zwanzig
Prozent mehr, sonst schließe er seinen Laden. »Gut,
gut«, antwortete van der Seelen auf einmal stinkfreundlich, »zwanzig Prozent mehr.« Aber jetzt wolle er schlafen. Und dann wolle er noch Sam mit dem Cadillac,
schrie Smithy. Wohin er denn kommen solle, fragte van
der Seelen, immer noch stinkfreundlich. Unter die Triboro Bridge, sagte Smithy, und er möchte nicht lange
warten. »Kommt, kommt«, sagte van der Seelen begütigend, und Smithy legte den Hörer auf. Inzwischen war
von Holy nichts mehr zu sehen, nur das Priesterkleid,
das Leibnitz als letztes zusammen mit der zinnoberroten
Unterwäsche in die Badewanne warf. Smithy ging mit
der Frau nach unten. Die Haustür stand noch offen. Es
war immer noch nicht kühler geworden, aber es dämmerte schon, der Morgen kam wie ein Überfall, es war
taghell, als Sam mit dem Cadillac vorfuhr. Smithy setzte
sich neben Sam, die Frau setzte sich hinter Smithy.
»Wohin?« fragte Smithy. »Ins Coburn«, sagte die Frau.
Sam grinste. »Schön«, sagte Smithy, »zum Coburn.«
Sie fuhren durch die noch leeren Straßen. Die Sonne kam.
Im Wagen war es angenehm kühl. Air-Conditioning. Im
zweiten Rückspiegel, den noch Holy hatte anbringen
lassen, als Sam ihn fuhr, weil Holy sich immer von van der
Seelen verfolgt glaubte – na ja, so unrecht hatte Holy ja
nicht gehabt –, beobachtete Smithy die Frau. Am Hals
hatte sie blaue Flecken. Er mußte sie gewürgt haben, er
erinnerte sich an nichts, aber wenigstens war er jetzt

nüchtern, und morgen würde er mit diesem Kommunisten von einem Polizeichef reden, wie er mit van der Seelen geredet hatte, Smithy wurde gebraucht, das war ihm nun deutlich geworden. Dann hielt Sam vor dem Coburn, Hauptportal. Ein Hoteldiener riß die Tür des Cadillacs auf, die Frau stieg aus, der Hoteldiener verbeugte sich, ein zweiter verbeugte sich vor der Tür, deren Scheiben automatisch zur Seite glitten. »Donnerwetter«, staunte Sam, »ich hätte gewettet, die würden sie wieder auf die Straße setzen.« »Fahr mich nach Hause, Sam«, sagte Smithy, plötzlich todmüde, und als er seine Wohnung betreten hatte, warf er sich aufs Bett, ohne sich auszuziehen. Überall Büchergestelle, ein Schreibtisch im anderen Zimmer, und auch das dritte war mit Büchern vollgestopft, deutsche Bücher, Namen darauf, die ihm nichts sagten, Titel, die er nicht verstand. Was der Professor eigentlich getrieben hatte, wußte kein Mensch, er brauchte immer Stoff, und den Stoff hatte ihm Smithy geliefert, und als der Professor für den Stoff nicht mehr zahlen konnte, kam Smithy auf seine Idee, und so begann der Professor, für die gute Gesellschaft Leichen verschwinden zu lassen und für die weniger gute, und als der Professor zuviel Stoff erwischt hatte, übernahm Leibnitz die Arbeit, als Probe seiner Tüchtigkeit hatte er den Professor aufgelöst. Smithy schlief ein und schlief so tief, daß er lange nicht begriff, daß ihn das Telefon störte. Er warf einen Blick auf den Wecker, er hatte kaum zwei Stunden geschlafen. Es war der Polizeichef. Was er denn wolle, fragte Smithy. »Kommen Sie ins Coburn.« »Na schön«, sagte Smithy. – »Ich habe Ihnen einen Wagen geschickt.« »Nett«, sagte Smithy, tappte ins Badezimmer, fand das Waschbecken, ließ es vollaufen, tauchte das Gesicht hinein, auch das Wasser war warm, es erfrischte ihn nicht, die Stadt schien langsam ins Kochen zu geraten. An der Wohnungstüre läutete es, Smithy tauchte sein Gesicht noch einmal ins Waschbecken, wollte dann das Hemd wechseln, doch weil es immer noch läutete, ging er zur Wohnungstür. Es waren zwei Polizisten, schwitzend, ihre Hemden klebten am Körper. »Los, mitkommen!« sagte der eine zu Smithy, der andere kehrte Smithy schon den Rücken zu, um die Treppe hinunterzugehen. Er wolle noch die Kleider wechseln und sich rasieren, sagte Smithy, dem das Wasser vom Gesicht über Kittel und Hemd tropfte. »Mach keinen Unsinn und komm«, sagte der Polizist auf der Treppe und gähnte. Smithy schloß die Wohnungstür hinter sich zu, und jetzt erst wurde ihm bewußt, wie elend er sich fühlte, Kopfschmerzen, Stiche im Hinterkopf, vorher hatte er nichts gefühlt, kam es ihm vor, weder die Schmerzen noch die Hitze, nur das eklige warme Wasser im Becken. Sie zwängten ihn in einen Chevy, er mußte vorn zwischen den beiden sitzen, beim Coburn setzten sie ihn vor dem Lieferanteneingang ab. Detektiv Cover war da und ein aufgeregter, eleganter, schwarzgekleideter Mann mit einem weißen Kavalierstuch. »Das ist der Mann«, sagte Cover und deutete auf Smithy. »Friedli«, stellte sich der Mann mit dem Kavalierstuch vor, »Jakob Friedli.« Smithy verstand nicht, was er meinte, es klang wie Deutsch, offenbar hieß er so, oder es sollte guten Morgen heißen auf deutsch oder auf holländisch, es war schließlich gegen sieben morgens, und auf einmal hatte Smithy den Wunsch, den Mann zu fragen, was denn Käse auf dänisch heiße, aber dann sprach der Mann, der sich mit seinem Kavalierstuch den Schweiß abwischte, doch

Englisch. »Bitte folgen Sie mir«, sagte er. Smithy folgte ihm, der Detektiv blieb im Lieferanteneingang. »Ich bin Schweizer«, sagte der Mann mit dem Kavalierstuch, als sie einen Korridor entlangschritten, der offenbar zu den Wirtschaftsräumen führte. Smithy war es völlig gleichgültig, was der Mann war und warum er ihm sagte, was er war, er konnte seinetwegen auch Italiener sein oder Grönländer. Das sei ihm noch nie vorgekommen, noch nie, sagte der Schweizer. Smithy nickte, obgleich er sich wunderte, daß es dem Schweizer noch nie vorgekommen war, eine Leiche, mehr oder weniger legal zustande gekommen, gab es in jedem Hotel, und daß es sich um eine Leiche handeln mußte, war klar, der Polizeichef hätte Smithy sonst nicht in dieser Herrgottsfrühe herbeischleppen lassen. Sie fuhren mit einem Warenlift hoch, endlos, es war Smithy gleichgültig wohin, doch nach dem zwanzigsten Stockwerk hatte Smithy das Gefühl, daß es sich um eine verdammt noble Leiche handeln mußte. Der Lift hielt. Sie betraten eine Art Küche, wahrscheinlich ein Zubereitungsraum, wo den Speisen aus der Hauptküche der letzte Pfiff gegeben wurde, um sie den ganz noblen Herrschaften hier oben aufzutischen, wie sich Smithy ausmalte, und in diesem Zubereitungsraum oder halt in dieser Küche, mittendrin, vor einem blitzblanken Tisch, stand der Polizeichef und trank schwarzen Kaffee. »Das ist der Mann, Nick«, meinte der Schweizer. »Guten Tag, Smithy«, sagte der Polizeichef, »Du siehst miserabel aus. Willst Du auch Kaffee?« Er habe einen nötig. »Gib Smithy einen, Jack«, sagte der Polizeichef. Der Schweizer ging zu einer Anrichte, brachte Smithy eine Tasse schwarzen Kaffee, wischte sich mit seinem Kavalierstuch den Schweiß ab. Smithy war froh, daß ein so vornehmer

Mann auch schwitzte. »Überlassen Sie das Weitere mir, Jack«, sagte der Polizeichef. Der Schweizer verließ die Küche. Der Polizeichef schlürfte Kaffee. »Holy ist verschwunden.« »Möglich«, sagte Smithy. »Lag er auf Leibnitz' Seziertisch?« »Ich schau nie hin«, sagte Smithy. »Van der Seelen?« »Nicht verschwunden«, antwortete Smithy, stellte seine leere Tasse auf den blitzblanken Tisch und fragte, was Nick denn von ihm wolle. Es war das erstemal, daß er den Polizeichef Nick nannte. Den alten hatte er Dick genannt. Nick grinste, ging zur Anrichte, kam mit einer Kaffeekanne zurück. Wieviel Smithy van der Seelen abgeben müsse, fragte Nick und goß Kaffee zuerst in seine, dann in Smithys Tasse. »Zwanzig Prozent weniger als bei Holy«, sagte Smithy. »Er hatte zinnoberrote seidene Unterwäsche.« »Wer?« fragte Nick. »Holy«, antwortete Smithy. »Na ja«, meinte Nick, van der Seelen müsse sich eben erst mal richtig etablieren, und schlürfte wieder Kaffee. Dann sagte er: »Smithy, wir beide haben uns doch gestern geeinigt beim Mittagessen. Auf wieviel denn? Ich habe die ganze Abmachung vergessen.« »Auf dreißig Prozent«, sagte Smithy. »Dreißig Prozent für dich?« fragte Nick. »Dreißig Prozent für dich«, sagte Smithy. Nick schwieg, trank seinen Kaffee aus, schenkte sich wieder ein. »Smithy«, sagte er ruhig, »wir haben uns auf die Hälfte geeinigt. Dabei will ich im großen ganzen bleiben. Nur heute nicht. Heute wirst du dich mit zehn Prozent begnügen, das heißt, wenn du die Klappe hältst und van der Seelen nichts von dem erfährt, was heute vorgeht, sonst mußt du ihm ja auch noch abliefern.« Zehn Prozent, sagte Smithy, komme nicht in Frage. Er schließe seinen Laden, Nick könne sich an den Sanitätsdienst wenden. Es gehe um fünfhunderttausend, sagte Nick ruhig, das mache für Smithy fünfzigtausend. Das sei etwas anderes, sagte Smithy, da sei er einverstanden. Nick solle ihm die Leiche schicken. Nick betrachtete Smithy nachdenklich. Bei einer so hohen Summe müsse Smithy schon selber verhandeln, meinte er endlich. Smithy goß sich Kaffee ein. Verstehe, sagte er, damit sich Nick heraushalten könne. »Eben«, sagte Nick, »gehen wir.« Smithy nahm noch einen Schluck Kaffee und trat mit Nick durch eine Schiebetür. Sie kamen in einen Raum, der ähnlich war wie der, den sie verlassen hatten, nur ohne Fenster, mit einer weiteren Schiebetür, und betraten einen breiten feudalen Korridor, eigentlich mehr ein länglicher Saal, an dessen beiden Enden hinter riesigen Glaswänden der heiße Himmel wie eine Betonmauer stand. Es war angenehm kühl. Sie schritten über einen grünen Spannteppich. »Kannst du Dänisch?« »Nein«, sagte Nick, »gehen wir zum Kunden.« »Gehen wir zur Leiche«, sagte Smithy. Nick blieb stehen. »Wozu? Die wird dir geliefert!« Smithy antwortete: »Dann läßt es sich nachher besser verhandeln.« Nick klopfte ihm auf die Schulter: »Smithy, du wirst noch ein Geschäftsmann.« Sie hatten den Korridor überquert, Nick drückte auf einen Knopf. »Apartment 10«, sagte er. Ein älterer Mann öffnete, glatzköpfig, offenbar im Smoking, Smithy war nicht sicher, er kannte solche Kleidungsstücke nur vom Kino. »Wir gehen zu ihr«, sagte Nick. Der Glatzkopf antwortete nichts, trat zur Seite, ein kleiner Salon, goldfarbener Spannteppich, vornehme Möbel, wie Smithy sie bezeichnen würde, hätte er sie beschreiben sollen, dann öffnete Nick eine Tür, weiß, die Füllungen mit Gold eingefaßt, ein Schlafzimmer, ein weißer Teppich, ein weißes breites Himmelbett, der Bettgiebel vergoldet, vom Betthimmel hingen Wolken von weißen Schleiern herunter, die Nick auseinanderschob. Auf dem aufgeschlagenen, noch unbenutzten Bett lag die Frau, noch im gleichen Kleid, das sie nicht viel mehr als drei Stunden vorher getragen hatte, als sie aus dem Cadillac an den sich verbeugenden Hoteldienern vorbei ins Coburn gehuscht war. Ihre Augen waren weit geöffnet, sie schien Smithy anzustarren, wie sie ihn immer angestarrt hatte, gleichgültig und aufmerksam, ihre dunklen Haare lagen auf ihren Schultern und waren auf dem weißen Bettlaken ausgebreitet, nur ihr Hals war nun wirklich häßlich zugerichtet, da mußte sie einer weit energischer gewürgt haben als Smithy, und als Smithy die Tote anstarrte, bemerkte er verwundert, wie schön sie war. »Nutte?« fragte er, mehr um überhaupt etwas zu sagen und auf einmal verlegen, denn die Frage kam ihm, kaum hatte er sie gestellt, schmutzig vor. »Nein«, sagte Nick hinter ihm, am Fenster gelangweilt zwischen den Vorhängen durch auf die tief unten liegende Straße blickend, »sonst hätten wir nicht fünfhunderttausend verlangen können.« »Gehen wir zum Kunden«, sagte Smithy müde. Im kleinen Salon, der wahrscheinlich nur ein Vorzimmer war, wie sich Smithy überlegte, wieder geniert vom noblen Milieu, von all diesen Möbeln und Bildern, stand der Glatzkopf. Offenbar ein Butler, wie es Smithy durch den Kopf schoß, nicht unglücklich über diese Erleuchtung, er war immer froh, in verwickelten Situationen etwas Übersicht zu haben. »Schläft er?« fragte Nick. »Der Arzt ...«, wollte der Glatzkopf fortfahren. »Holen Sie ihn raus«, sagte Nick, öffnete die Tür, die gegenüber jener zum Schlafzimmer mit der Leiche lag, stieß sie auf und ging hinein. Smithy folgte ihm. Ein großer Raum, vor der Fensterfront eine Terrasse, ein Schreibtisch. Nick flegelte sich in einen Riesensessel. »Setz dich, Smithy«, sagte er und wies auf einen anderen Sessel. Smithy setzte sich, es war ihm unangenehm, daß er nicht rasiert war. »Der Arzt«, begann der Glatzkopf wieder. »Es gibt Schwierigkeiten«, sagte Nick. »Sehr wohl«, sagte der Glatzköpfige, öffnete eine Tür hinter dem Schreibtisch. »Nun, Smithy«, sagte Nick, »jetzt kommt deine große Stunde.« »Wo sind wir hier?« fragte Smithy. Nick räkelte sich in seinem Riesensessel, versank in ihm, legte die Beine auf den gepolsterten Hocker, die gespreizten Fingerspitzen aufeinander, setzte die Daumen auf die Brust, massierte mit seinen beiden Zeigefingerkuppen die Nase und betrachtete Smithy belustigt. »Zeitunglesen ist wohl nicht deine Sache?« sagte er. »Nein«, antwortete Smithy. »Von Politik keinen Schimmer?« Er interessiere sich nur für Eishockey, antwortete Smithy. Nick schwieg, dann meinte er, für Eishockey sei jetzt keine geeignete Jahreszeit. Überhaupt hasse er den Sommer, sagte Smithy, legte nun auch die Beine auf den Hocker vor ihm. »Außerordentliche UNO-Vollversammlung«, sagte Nick. »Und?« fragte Smithy. »Nur so«, sagte Nick und schwieg wieder. Die Tür hinter dem Schreibtisch öffnete sich, den Mann erkannte Smithy sofort, das heißt, er wußte zwar nicht, wer der Mann war, aber er hatte ihn schon oft im Fernsehen gesehen. Smithy dachte nach, er kam nicht darauf, jedenfalls mußte der Mann in seinem eleganten Pyjama irgend jemand aus Europa sein, irgendein Regierungschef oder Ministerpräsident oder Außenminister oder sonst irgend jemand Wichtiges, enorm berühmt, ein Mann, der Smithy nur flüchtig mit einem

Blick streifte, als ob Smithy überhaupt niemand wäre, so gleichgültig, wie ihn die Frau diese Nacht betrachtet hatte, aber nicht so aufmerksam, sondern überhaupt nicht, mit einem Blick, der Smithy plötzlich in Wut versetzte, ohne daß Smithy diese Wut erklären konnte, aber er preßte nun auch die Fingerspitzen aufeinander, nahm auf einmal die Haltung ein, die Nick in seinem Riesensessel eingenommen hatte, bevor der Mann erschienen war, dieser Mann, der so gelassen, so erhaben war, wie der liebe Gott persönlich, für den Smithy eben bloß eine Laus darstellte, noch weniger, eine Laus war Smithy ja schon für Nick, aber Smithy wußte nicht, was noch weniger als eine Laus war, was er doch für den lieben Gott darstellen mußte. »Schwierigkeiten?« fragte der Himmelsvater Nick, der sich erhoben hatte. »Schwierigkeiten, der Mann macht Schwierigkeiten.« »Der da?« fragte der Herr-o-mein-Gott in seinem weinroten Schlafanzug, ohne einen zweiten Blick auf Smithy zu werfen. »Der da«, sagte Nick, die Hände in den Hosentaschen. »Was will er denn?« fragte der Herr der Heerscharen. Smithy hatte sich all die Gottesnamen unwillkürlich gemerkt, die Holy zu zitieren pflegte, sie schossen nun aus seinem Gedächtnis, aber er unterdrückte den Wunsch, den Herrgott zu fragen, ob er denn Dänisch könne. »Weiß nicht«, sagte Nick. Der Herr des Himmels und der Erden setzte sich hinter den Schreibtisch, spielte mit einem goldenen Kugelschreiber. »Nun?« fragte er. »Wer ist die Leiche?« fragte Smithy. Jahwe schwieg, spielte weiter mit dem goldenen Kugelschreiber, blickte erstaunt zu Nick hinüber, der hinter dem Sessel stand, in dem er vorher gesessen hatte. Nick wandte sich Smithy zu, verblüfft, aber dann plötzlich belustigt, als sei ihm ein

Licht aufgegangen. »Ihre Tochter?« fragte Smithy. Der Herr Zebaoth legte den goldenen Kugelschreiber auf den Schreibtisch zurück, nahm aus einer grünen Schachtel eine gedrungene, flache Zigarette, zündete sie mit einem goldenen Feuerzeug an. »Wozu diese Fragen?« sagte er, Smithy immer noch keinen Blick schenkend. »Ich muß wissen, ob ich die Leiche verschwinden lassen will«, sagte Smithy. »Nennen Sie Ihren Preis, dann wissen Sie es«, antwortete Jehova gelangweilt. Smithy blieb hartnäckig. Er könne den Preis erst nennen, wenn er wisse, wer die Leiche sei, behauptete er, durchaus zur Erheiterung Nicks, wie Smithy spürte, und nun blickte ihn Gott der Allmächtige zum erstenmal wirklich an, nahm endgültig Notiz von ihm, einen Moment ärgerlich, ja zornig, als wolle er Smithy im nächsten Augenblick mit einem Blitzstrahl entzweispalten, aber weil er ja kein Gott war, sondern wie Smithy bloß ein Mensch, wenn auch ein ungleich wichtigerer, gesellschaftlich, geschichtlich, auch in Hinsicht auf Bildung, Vermögen und überhaupt, blieb die Wut im berühmten, vielleicht etwas zu aufgedunsenen Gesicht des doch eher dünneren Repräsentanten der Geschichte im weinroten Pyjama hinter dem Schreibtisch nur sekundenlang, genauer, den Bruchteil einer Sekunde lang sichtbar, noch genauer, ahnbar, und dann lächelte er Smithy geradezu freundlich an: »Die Leiche ist meine Frau.« Smithy studierte das aufgedunsene rote Gesicht des berühmten Mannes hinter dem Schreibtisch und kam immer noch nicht darauf, wessen Landes Staatspräsident oder Ministerpräsident oder Außenminister oder Kanzler oder Vizekanzler er war oder wie der Job auch hieß, wenn er überhaupt ein Politiker war und nicht ein berühmter Großindustrieller oder Bankier oder vielleicht nur ein Schauspieler, der in einem Film einen Staatspräsidenten oder Außenminister gespielt hatte, weshalb ihn Smithy jetzt verwechselte, aber es war Smithy plötzlich gleichgültig, der hinter dem Schreibtisch war der Mann der Frau, mit der Smithy geschlafen hatte, kaum eine Stunde vor dem Morgen, der sich hinter den großen Fenstern nun schon wieder zu einer blendend weißen Wolke verdichtete, in die zu tauchen es höllischer noch als tags zuvor sein würde. »Wer hat sie getötet?« fragte Smithy mechanisch. »Ich«, antwortete der Mann hinter dem Schreibtisch gelassen. »Weshalb?« fragte Smithy. Der hinter dem Schreibtisch schwieg, rauchte. »Sie wollen mich wohl verhören?« stellte er fest. »Ich muß mich entscheiden«, sagte Smithy. Der Typ im weinroten Pyjama ließ die Zigarette in einem runden Emailaschenbecher verschwinden, öffnete die grüne Schachtel, zündete sich eine neue Zigarette an, alles ohne Hast, ohne Verlegenheit, irgend etwas nachsinnend, sich dann Smithy zuwendend. »Ich habe die Nerven verloren«, sagte er dann, lächelte und schwieg, betrachtete Smithy plötzlich neugierig. »Meine Frau«, fuhr er fort, sorgfältig ein Wort um das andere wählend, in seinem Schulbuchenglisch, das Smithy nur von englischen Filmen her kannte, das vielleicht auch gar kein Schulbuchenglisch war, sondern ein Englisch, von irgendeiner europäischen Sprache grob verfärbt, das sich aber natürlich gegenüber dem Englisch, das Smithy sprach, wie klassisches Englisch ausnahm, wie sich Smithy plötzlich bewußt wurde, er wußte nicht, warum er sich darüber ärgerte. »Meine Frau verließ vor zwei Tagen dieses Haus. Sie schlief seitdem wahllos mit vielen Männern, sagte sie, als sie diesen Morgen ins Hotel zurückkehrte. Kurz nach vier. Oder gegen halb fünf.«

Der Kerl hinter dem Schreibtisch beobachtete Smithy
amüsiert, und Smithy dachte, eigentlich hätte er sich
Holy auch so vornehm wie diesen da hinter dem Schreibtisch vorstellen können, und so eine Visage wie diese da,
rot und aufgedunsen über dem weinroten Pyjama, gäbe
es tausendfach. »Deshalb haben Sie Ihre Frau erwürgt«,
stellte Smithy fest. Sie müsse ihm doch aus irgendeinem
Grunde davongelaufen sein. Die Type hinter dem
Schreibtisch lächelte. »Sie wollte mich bloß ärgern«,
sagte er. »Und es ist ihr gelungen. Ich habe mich geärgert. Zum erstenmal in meinem Leben.« Die Visage
hinter dem Schreibtisch kam Smithy ekelhaft vor. »Zum
erstenmal in meinem Leben«, wiederholte er, gähnte und
fragte: »Wieviel?« »Fünfhunderttausend hat er mir
gesagt«, antwortete Nick anstelle Smithys. »Gehen Sie
nicht darauf ein, eine Schweinerei, ich werde den Scheiß-
kerl verhaften lassen.« »Schön«, sagte die schäbige Ratte
hinter dem Schreibtisch, »fünfhunderttausend.« »Wenn
Sie durchaus wollen«, sagte Nick, »bin ich machtlos.«
»Nein«, sagte Smithy. »Eine Million«, lächelte die lau-
sige Wanze im weinroten Pyjama, Nick starrte sie verdat-
tert an, strahlte. »Ihre Frau lasse ich gratis verschwinden«, sagte Smithy zur schäbigen Laus hinter dem
Schreibtisch, ohne recht zu wissen, was er sagte, während er an die Tote dachte, vielleicht acht, neun, zehn
Meter von ihm entfernt hinter den Wänden auf den
Laken des Himmelbetts. Er dachte an ihre Schönheit und
wie sie ihn mit ihren toten Augen angestarrt hatte, und
dann sagte er, indem er sich erhob: »Von Ihnen nehme
ich nichts!« Er verließ das große Zimmer, das Apartment, schaute sich in der Halle mit dem grünen Teppich
kurz um, der Schweizer mit dem lächerlichen Kavaliers-

tuch kam auf ihn zu, begleitete ihn zum Warenaufzug. Smithy fuhr hinunter, im Lieferanteneingang stand immer noch Cover, wischte sich den Schweiß ab. »Nick kann mir die Ware zuschicken«, sagte Smithy, während er in die unbarmherzige Hitze hineinschritt, die sich in der Straßenschlucht staute, aber Smithy war alles gleichgültig, die ungeheure Sonne über der Riesenstadt, die Riesenstadt und die Menschen, die sich in ihr bewegten, der Dampf, der aus den Kanalisationsdeckeln quoll, die kriechenden, stinkenden Wagenkolonnen, er ging und ging, ob durch die Fünfte Straße, durch die Madison, Park oder Lexington Avenue oder durch die Dritte, Zweite oder Erste Straße, er wußte es nicht, er ging, trank irgendwo ein Bier, aß in einem schmierigen Drugstore, er wußte nicht was, saß lange im Park auf einer Bank, er wußte nicht wie lange, einmal saß eine junge Frau neben ihm, einmal eine alte Frau, dann kam es ihm vor, als hätte jemand neben ihm Zeitung gelesen, es war ihm gleichgültig, er dachte nur an die Tote, wie sie am frühen Morgen ins Coburn gegangen war, an den Hoteldienern vorbei, wie er sie beobachtet hatte im Rückspiegel des Cadillac, wie sie oben in der Tür des Sezierraums mit der linken Schulter an dem Pfosten gelehnt hatte, wie sie auf Leibnitz' Matratze nackt gewesen war, wie sie sich ihm hingegeben, wie sie ihn im Lift angestarrt hatte und wie er nichts begriffen hatte. Eine wilde Zärtlichkeit war in ihm und ein wilder Stolz, Smithy war ihrer würdig, er hatte es dem dreckigen lieben Gott hinter dem Schreibtisch gezeigt, wie sie es ihm gezeigt hatte, und dann war es plötzlich Nacht. Die Straßenlampen brannten, und wahrscheinlich war die Nacht noch heißer, noch höllischer als der Tag zuvor und die Nacht zuvor und als der

Tag gewesen war, der nun in die Nacht geglitten war, die ihn umgab, aber er achtete nicht darauf. Er tat alles ohne zu wissen, in Gedanken an die Frau, von der er nichts wußte, keinen Namen, keinen Vornamen, nichts, eigentlich nur, wie sie als Tote aussah, aber er hatte sie geliebt, und als er in Leibnitz' Sezierraum stand, war alles schon vorüber, nur das Kleid der Toten lag über der Lehne des Stuhls, fein säuberlich zusammengefaltet, wie das nun einmal Leibnitz' Gewohnheit war. Smithy nahm das Kleid. Er fuhr mit dem Lift in Leibnitz' Zimmer, aber Leibnitz war auch hier nicht, Leibnitz mußte ausgegangen sein, was doch sonst um diese Zeit nie der Fall war, aber schon im Lift hatte Smithy gewußt, daß er die dreckige, dunkle, dumpfe Bude leer finden würde. Smithy ließ die Tür zum Lift offen, das Licht vom Lift fiel auf ihn, er setzte sich auf die Matratze, mit dem Rücken gegen die Wand gelehnt, auf seinem Schoß lag das Kleid der Frau, die nun tot war, die er auf dieser Matratze geliebt hatte, ohne daß er sich daran erinnern konnte, im Rechteck des Fensters undeutliches Licht, der Lift fuhr hinunter, nur das unbestimmte Licht im Fenster blieb, Smithy fühlte nichts als den Stoff des Kleides, über das seine Hände fuhren, ein leichter Fetzen, mehr nicht. Auf einmal war der Lift wieder da, ein Schatten schob sich zwischen sein Licht und Smithy, füllte die Türe, plötzlich wurde es grell im Zimmer, van der Seelen hatte das Licht angedreht, und hinter van der Seelen war Sam. Smithy schloß die Augen, das Licht blendete ihn, und seine Hände streichelten das Kleid. »Du hast das Geschäft Deines Lebens vermasselt«, sagte van der Seelen nicht einmal sonderlich verärgert, mehr erstaunt, und Smithy antwortete stolz: »Nicks Geschäft«, worauf van der Seelen zur Seite trat. Sam hielt etwas in den Händen, das auf Smithy keinen Eindruck mehr machte, er fürchtete sich nicht vor dem, was Sam nun tun mußte, und als es Sam getan hatte, meinte van der Seelen, schon im Lift und jetzt doch etwas verärgert: »Schade um meine Prozente.«

Das Sterben
der Pythia

1976

Die delphische Priesterin Pannychis XI, wie die meisten ihrer Vorgängerinnen lang und dürr, hatte, verärgert über den Unfug ihrer Orakelsprüche und über die Leichtgläubigkeit der Griechen, den Jüngling Ödipus angehört; wieder einer, der danach fragte, ob seine Eltern seine Eltern seien, als wäre das in aristokratischen Kreisen so einfach zu entscheiden, wirklich, gab es doch Eheweiber, die angaben, Zeus selbst habe ihnen beigewohnt, und Ehemänner, die das sogar glaubten. Zwar hatte die Pythia in solchen Fällen, da die Fragenden ohnehin schon zweifelten, einfach geantwortet: teils – teils, aber heute war ihr das Ganze zu dumm, vielleicht nur, weil es schon nach fünf war, als der bleiche Jüngling angehumpelt kam, eigentlich hätte sie das Heiligtum schließen müssen, und so prophezeite sie ihm denn, sei es, um ihn von seinem Aberglauben an die Orakelkunst zu heilen, sei es, weil es ihr in einer boshaften Laune gerade einfiel, den blasierten Prinzen aus Korinth zu ärgern, etwas möglichst Unsinniges und Unwahrscheinliches, von dem sie sicher war, daß es nie eintreffen würde, denn, dachte Pannychis, wer wäre auch imstande, seinen eigenen Vater zu ermorden und seiner eigenen Mutter beizuschlafen – die inzestbeladenen Götter- und Halbgöttergeschichten hielt sie ohnedies für Märchen. Zwar beschlich sie ein leises Unbehagen, als der linkische Prinz aus Korinth auf ihr Orakel hin erbleichte, sie bemerkte es, obgleich sie auf ihrem Dreifuß von Dämpfen umhüllt war – der junge Mann mußte wirklich außerordentlich leichtgläubig sein. Als er sich dann behutsam aus dem Heiligtum zurückgezogen und beim Oberpriester Merops XXVII bezahlt hatte, der bei Aristokraten persönlich kassierte, schaute Pannychis Ödipus noch einen Augenblick lang nach, kopfschüttelnd, weil der junge Mann nicht den Weg nach Korinth einschlug, wo doch seine Eltern wohnten; daß sie mit ihrem scherzhaften Orakel vielleicht irgendein Unheil angestiftet haben könnte, verdrängte sie, und indem sie dieses ungute Gefühl verdrängte, vergaß sie Ödipus.

Alt, wie sie war, schleppte sie sich durch die endlosen Jahre, ständig im Hader mit dem Oberpriester, der ein Heidengeld mit ihr verdiente, weil ihre Orakel immer übermütiger ausfielen. Sie glaubte nicht an ihre Sprüche, vielmehr wollte sie mit ihrer Orakelei jene verspotten, die an sie glaubten, so daß sie bei den Gläubigen nur einen immer unbedingteren Glauben erweckte. Pannychis orakelte und orakelte, an eine Pensionierung war nicht zu denken. Merops XXVII war überzeugt, je älter und geistesschwacher eine Pythia sei, um so besser, und am besten eine sterbende, die prächtigsten Orakel habe die Vorgängerin der Pannychis, Krobyle IV, sterbend produziert. Pannychis nahm sich vor, nichts zu orakeln, wenn es einmal so weit wäre, wenigstens sterben wollte sie würdig, ohne Unsinn zu treiben; daß sie ihn jetzt noch treiben mußte, war entwürdigend genug. Dazu kamen die tristen Arbeitsbedingungen. Das Heiligtum war feucht und zugig. Von außen sah es prächtig aus, reinster frühdorischer Stil, innen war es eine schäbige, schlecht abgedichtete Kalksteinhöhle. Pannychis' einziger Trost war, daß die Dämpfe, die aus der Felsspalte unter dem Dreifuß heraufquollen, den Rheumatismus linderten, den die Zugluft verursachte. Was in Griechenland vorging, kümmerte sie längst nicht mehr; ob es in Agamemnons Ehe kriselte oder nicht, war ihr gleichgültig; mit wem es Helena wieder trieb, egal; sie orakelte blind drauflos, und weil man ihr ebenso blind glaubte, störte es niemanden, daß das Prophezeite nur selten eintraf und, traf es doch einmal ein, auch gar nicht anders hätte eintreffen können: Bei den Bärenkräften des Herkules etwa gab es für den Helden, der keinen Gegner fand, weil niemand ihm gewachsen war, keinen anderen Ausweg, als sich zu verbrennen, und das nur, weil ihm die Pythia den Floh ins Ohr gesetzt hatte, er werde nach seinem Tode unsterblich; ob er es dann wirklich wurde, war gänzlich unkontrollierbar. Und die Tatsache, daß Jason Medea überhaupt geheiratet hatte, erklärte hinreichend, warum er seinem Leben schließlich ein Ende setzte, hatte doch, als er mit seiner Braut in Delphi erschien, um das Orakel des Gottes zu erflehen, die Pythia blitzartig instinktiv geantwortet, er solle sich lieber in sein Schwert stürzen, als ein solches Vollweib zur Frau nehmen. Unter diesen Umständen war der Aufschwung des delphischen Orakels nicht mehr aufzuhalten, auch wirtschaftlich nicht. Merops XXVII plante kolossale Neubauten, einen riesigen Apollotempel, eine Musenhalle, eine Schlangensäule, verschiedene Banken und sogar ein Theater. Er verkehrte nur noch mit Königen und Tyrannen; daß sich nach und nach die Pannen häuften, daß der Gott immer nachlässiger zu werden schien, beunruhigte ihn längst nicht mehr. Merops kannte seine Griechen, je toller das Zeug war, das die Alte zusammenschwafelte, um so besser, sie war

ohnehin nicht mehr vom Dreifuß herunterzubringen und
dämmerte in den Dämpfen vor sich hin, in ihren schwarzen Mantel gehüllt. Wurde das Heiligtum geschlossen,
saß sie noch eine Weile vor dem Seitenportal, hinkte dann
ins Innere ihrer Hütte, kochte sich einen Brei, ließ ihn
stehen, schlief ein. Jede Änderung in ihrem Tagesablauf
war ihr verhaßt. Nur unwillig erschien sie bisweilen im
Büro Merops XXVII, brummend und knurrend, ließ sie
der Oberpriester doch nur rufen, wenn für einen seiner
Klienten irgendein Seher ein von ihm formuliertes Orakel
verlangte. Pannychis haßte die Seher. Wenn sie auch
nicht an die Orakel glaubte, so sah sie in ihnen doch
nichts Unsauberes, die Orakel waren für sie ein von der
Gesellschaft verlangter Blödsinn; aber die von den Sehern
formulierten Orakel, die sie auf deren Bestellung hin
orakeln mußte, waren etwas ganz anderes, sie verfolgten
einen bestimmten Zweck, da steckte Korruption dahinter, wenn nicht gar Politik; und daß Korruption und
Politik dahintersteckten, dachte sie an jenem Sommer-
abend sofort, als Merops, sich hinter seinem Schreibtisch
räkelnd, ihr auf seine stinkfreundliche Art erklärte, der
Seher Tiresias habe einen Wunsch.

Pannychis erhob sich, kaum hatte sie Platz genommen,
und erklärte, sie wolle mit Tiresias nichts zu tun haben,
sie sei zu alt und zu textunsicher, um noch Orakel
auswendig zu lernen und zu rezitieren. Adieu. Moment,
sagte Merops, Pannychis nacheilend und sie zwischen
Tür und Angel stellend, Moment, es sei ganz unnötig,
sich aufzuregen, auch ihm sei der Blinde unangenehm,
Tiresias sei Griechenlands größter Intrigant und Politiker
und, bei Apoll, korrupt bis auf die Knochen, aber er
zahle nun einmal am besten, und was er verlange, sei

vernünftig, in Theben sei wieder einmal die Pest ausgebrochen. Die breche in Theben immer wieder aus, knurr-
te Pannychis; wenn man die hygienischen Verhältnisse
um die Burg Kadmeia herum in Betracht ziehe, sei das
auch kein Wunder, die Pest sei in Theben sozusagen
endemisch. Sicher, beschwichtigte Merops XXVII Pannychis XI, Theben sei grausig, ein schmutziges Nest in
jeder Beziehung, nicht umsonst gehe die Sage um, selbst
die Adler des Zeus seien nur mühsam imstande, Theben
zu überfliegen, mit nur einem Flügel flatternd, weil sie
sich mit dem anderen die Nasenlöcher zuhielten, und die
Verhältnisse am Königlichen Hofe – na ja. Tiresias schlage vor, seinem Klienten, der morgen vorsprechen werde,
zu orakeln, die Pest verschwinde erst, wenn der Mörder
des thebanischen Königs Laios entdeckt sei. Pannychis
wunderte sich, das Orakel war banal, Tiresias mußte
senil geworden sein. Nur der Form halber fragte sie
noch, wann denn der Mord begangen worden sei. Ir-
gendwann, vor Jahrzehnten, ohne Bedeutung, finde man
den Mörder, gut, meinte Merops, finde man ihn nicht,
auch gut, die Pest gehe ohnehin vorüber, und die Thebaner würden glauben, die Götter hätten, um ihnen zu
helfen, den Mörder irgendwo in der Einsamkeit, wohin
er sich verkrochen, zerschmettert und so die Gerechtigkeit eigenhändig hergestellt. Die Pythia, froh, wieder in
ihre Dämpfe zu kommen, fauchte, wie denn der Klient
des Tiresias heiße.

»Kreon«, sagte Merops XXVII.

»Nie gehört«, sagte Pannychis. Er auch nicht, bestätigte Merops.

»Wer ist der König von Theben?« fragte die Pythia.

»Ödipus«, antwortete Merops XXVII.

»Auch nie gehört«, entgegnete Pannychis XI, die sich wirklich nicht mehr an Ödipus erinnerte.

»Ich auch nicht«, bestätigte Merops, froh, die Alte loszuwerden, und übergab ihr den Zettel mit dem von Tiresias kunstvoll formulierten Orakel.

»Jamben«, seufzte sie noch, einen Blick auf den Zettel werfend, »natürlich, das Dichten kann er nie lassen.«

Und als am anderen Tag, kurz vor Schließung des Heiligtums, die Pythia, auf dem Dreifuß hin und her wiegend, wohlig in die Dämpfe gehüllt, eine schüchterne, lammfromme Stimme vernahm, die Stimme eines gewissen Kreon aus Theben, sagte sie den Spruch auf, nicht ganz so flüssig wie früher, einmal mußte sie sogar von vorn beginnen:

»Mit klarem Wort gebietet dir Apoll, die Blutschuld, die in diesem Lande wuchert, unheilbar – mit klarem Wort gebietet dir Apoll, die Blutschuld, die in diesem Lande wuchert, unheilbar nicht zu machen: auszutreiben. Ihn zu verbannen oder Blut mit Blut zu sühnen. Blut befleckt das Land. Für Laios' Tod heißt Phoibos Rache nehmen an seinen Mördern. Das ist sein Befehl.«

Die Pythia schwieg, froh, mit dem Text über die Runde gekommen zu sein, das Versmaß war nicht unkompliziert, sie war plötzlich stolz, ihren Hänger hatte sie schon vergessen. Der Thebaner – wie hieß er doch? – hatte sich längst davongemacht, Pannychis dämmerte wieder vor sich hin.

Manchmal trat sie vor das Heiligtum. Vor ihr ein ausgedehnter Bauplatz, der Apollotempel, weiter unten standen schon drei Säulen der Musenhalle. Die Hitze war unerträglich, aber ihr fröstelte. Diese Felsen, diese Wälder, dieses Meer – alles Schwindel, ein Traum von ihr,

einmal würde dieser Traum vorüber und alles würde
nicht mehr sein, sie wußte, alles war erstunken und
erlogen, sie, die Pythia, die man als Priesterin Apolls
ausgab und die doch nichts als eine Schwindlerin war, die
nach Launen Orakel zusammenphantasierte. Und nun
war sie sehr alt geworden, steinalt, uralt, wie alt, wußte
sie nicht. Die Alltagsorakel gab die Nachwuchs-Pythia
ab, Glykera v; Pannychis hatte die ewigen Dämpfe satt,
hin und wieder, na gut, einmal wöchentlich, bei einem
zahlungskräftigen Prinzen oder bei einem Tyrannen,
setzte sie sich noch auf den Dreifuß, orakelte, auch
Merops hatte ein Einsehen.

Und wie sie so in der Sonne saß, die ihr wohltat, so daß
sie die Augen schloß, um die delphische Kitschlandschaft
nicht mehr zu sehen, vor dem Seitenportal des Heiligtums an die Mauer gelehnt, in sich versunken, der halb-
fertigen Schlangensäule gegenüber, fühlte sie plötzlich,
daß etwas vor ihr stand, wohl schon seit Stunden, etwas,
das sie herausforderte, das sie anging, und als sie die
Augen öffnete, nicht sofort, sondern zögernd, war ihr,
als ob sie erst lernen müsse zu sehen, und als sie endlich
sah, nahm sie eine ungeheure Gestalt wahr, die sich auf
eine andere nicht minder ungeheure Gestalt stützte, und
während Pannychis XI schärfer hinblickte, sanken die
ungeheuren Gestalten auf Menschenmaß zusammen, und
sie erkannte einen zerlumpten Bettler, der sich auf eine
zerlumpte Bettlerin stützte. Die Bettlerin war ein Mädchen. Der Bettler glotzte Pannychis an, aber er hatte
keine Augen, an Stelle der Augen waren Löcher, gefüllt
mit schwarzem, verkrustetem Blut.

»Ich bin Ödipus«, sagte der Bettler.

»Ich kenne dich nicht«, antwortete die Pythia und

blinzelte in die Sonne, die über diesem blauen Meer nicht untergehen wollte.

»Du hast mir geweissagt«, keuchte der Blinde.

»Möglich«, sagte Pannychis XI, »ich habe Tausenden geweissagt.«

»Dein Orakel ging in Erfüllung. Ich habe meinen Vater Laios getötet und meine Mutter Iokaste geheiratet.«

Pannychis XI betrachtete den Blinden, dann das zerlumpte Mädchen, verwundert überlegend, was das denn alles zu bedeuten habe, noch ohne Erinnerung.

»Iokaste hat sich erhängt«, sagte Ödipus leise.

»Wer?« fragte Pannychis.

»Meine Frau und Mutter«, antwortete Ödipus.

»Tut mir leid, kondoliere.«

»Und dann habe ich mich selbst geblendet.«

»So, so«, und dann deutete die Pythia auf das Mädchen. »Wer ist denn die?« fragte sie, nicht aus Neugier, sondern nur um etwas zu sagen.

»Meine Tochter Antigone«, antwortete der Geblendete, »oder meine Schwester«, fügte er verlegen hinzu, und erzählte eine verworrene Geschichte.

Die Pythia, die Augen nun weit geöffnet, hörte nur flüchtig zu, starrte auf den Bettler, der vor ihr stand, auf seine Tochter und Schwester zugleich gestützt, und hinter ihm waren die Felsen, die Wälder, weiter unten das angefangene Theater, endlich das unerbittlich blaue Meer, und hinter allem der eherne Himmel, diese grelle Fläche des Nichts, in das, um es auszuhalten, die Menschen alles mögliche projizierten, Götter und Schicksale, und als ihr die Zusammenhänge aufgingen, als sie sich mit einem Mal erinnerte, daß sie mit ihrem Orakel doch nur einen ungeheuerlichen Witz hatte machen wollen, um

Ödipus den Glauben an das Orakel für immer auszutreiben, begann Pannychis XI plötzlich zu lachen, ihr Lachen wurde immer unermeßlicher, und sie lachte noch, als der Blinde mit seiner Tochter Antigone schon längst davongehumpelt war. Doch ebenso plötzlich, wie sie zu lachen begonnen hatte, verstummte die Pythia, alles konnte nicht Zufall sein, fuhr es ihr durch den Kopf.

Die Sonne ging hinter dem Bauplatz des Apollotempels unter, kitschig wie eh und je, sie haßte die Sonne; die sollte man einmal untersuchen, dachte sie, das Märchen mit dem Sonnenwagen und den Sonnenrossen war doch allzu lächerlich, sie wette: nichts als eine Masse von stinkenden, feurigen Gasen. Pannychis ging zum Archiv, sie humpelte. Wie Ödipus, fuhr es ihr durch den Sinn. Sie blätterte im Orakelbuch, suchte, alle vom Heiligtum herausgegebenen Orakel waren hier verzeichnet. Sie stieß auf ein Orakel, verkündet einem gewissen Laios, König von Theben: Werde ihm ein Sohn geboren, werde dieser ihn ermorden.

»Ein Abschreckorakel«, überlegte die Pythia, »da muß meine Vorgängerin dahinterstecken, Krobyle IV«, Pannychis kannte deren Nachgiebigkeit gegenüber den Wünschen der Oberpriester. Sie forschte in der Buchhaltung und fand einen Beleg über fünftausend Talente, gezahlt von Menoikeus, dem Drachenmann, dem Schwiegervater des Königs von Theben, Laios, mit der flüchtigen Anmerkung: »Für ein Orakel hinsichtlich Laios' Sohn, formuliert von Tiresias.« Die Pythia schloß die Augen, blind sein wie Ödipus war das beste. Sie saß im Archiv am Lesetisch und dachte nach. Ihr wurde klar: War ihr Orakel ein grotesker Zufallstreffer, so hatte einst Krobyle IV geweissagt, um Laios zu hindern, einen Sohn und damit einen Nachfolger zu zeugen; sein Schwager Kreon sollte dessen Nachfolge antreten. Das erste Orakel, das Laios bewog, Ödipus auszusetzen, kam durch Korruption zustande, das zweite traf durch Zufall ein, und das dritte, das die Untersuchung des Falles in Gang setzte, hatte wiederum Tiresias formuliert. »Um Kreon auf den Thron Thebens zu bringen – ich bin sicher, daß er jetzt darauf sitzt«, dachte sie. »Aus lauter Nachgiebigkeit Merops gegenüber habe ich das von Tiresias formulierte Orakel geweissagt«, murmelte Pannychis wütend, »und auch noch in miserablen Jamben, ich bin noch schlechter als Krobyle IV, die orakelte wenigstens nur in Prosa.«

Sie erhob sich vom Lesetisch und verließ das verstaubte Archiv, so lange hatte niemand mehr in ihm gestöbert, wer kümmerte sich schon darum, im Delphischen Orakel herrschte eine legere Schlamperei. Doch nun sollte ja auch das Archiv umgebaut werden, ein pompöser Neubau an die Stelle der alten Steinhütte treten, auch war schon eine Priesterschaft des Archivs geplant, um die legere durch eine stramm organisierte Schlamperei zu ersetzen.

Die Pythia sah über die nächtlichen Bauplätze, Quader und Säulen lagen herum, es war, als blicke sie über Ruinen; einmal würden hier nur Ruinen sein. Der Himmel war eins mit Felsen und Meer, im Westen stand ein heller roter Stern über einer schwarzen Wolkenbank, böse und fremdartig. Es war ihr, als ob Tiresias herüberdrohe, Tiresias, der ihr immer wieder seine strategischen Orakel aufgezwungen hatte, auf die er als Seher so stolz war, und die doch ebenso dummes Zeug waren wie ihre eigenen Orakel, Tiresias, der noch älter war als sie, der schon gelebt hatte, als Krobyle IV die Pythia war und vor

Krobyle Melitta und vor dieser Bakchis. Auf einmal, als sie über den maßlosen Bauplatz des Apollotempels humpelte, wußte die Pythia, daß es ans Sterben ging, es war auch höchste Zeit. Sie schmiß den Stock an die halbfertige Schlangensäule, auch so ein Kitschmonument, und humpelte nicht mehr. Sie betrat das Heiligtum: Sterben war feierlich. Sie war gespannt, wie denn das Sterben wohl vor sich ginge: Ihr war abenteuerlich zumute. Sie ließ das Hauptportal offen, setzte sich auf den Dreifuß und wartete auf den Tod. Die Dämpfe, die aus der Felsspalte stiegen, hüllten sie ein, Schwaden um Schwaden, leicht rötlich, und durch ihre Schleier sah sie das grauhelle Licht der Nacht, das durch das Hauptportal drang. Sie spürte den Tod näherrücken, ihre Neugier wuchs.

Zuerst tauchte ein finsteres, zusammengedrängtes Gesicht auf, schwarzhaarig, niedere Stirn, stumpfe Augen, ein erdiges Gesicht. Pannychis blieb ruhig, es mußte sich um einen Vorboten des Todes handeln; doch plötzlich wußte sie, daß es das Gesicht des Menoikeus war, des Drachenmannes. Das dunkle Gesicht sah sie an. Es redete zu ihr oder vielmehr es schwieg, aber so, daß die Pythia den Drachenmann begriff.

Er war ein Kleinbauer gewesen, untersetzt, er war nach Theben gezogen, hatte hart gearbeitet, als Taglöhner zuerst, dann als Vorarbeiter, endlich als Bauunternehmer, und als er den Auftrag zugeschanzt bekam, die Burg Kadmeia umzubauen, war sein Glück gemacht: Bei den Göttern, das wurde eine Burg! Daß er sein Glück nur seiner Tochter Iokaste verdanke, war übles Gerede; sicher, der König Laios hatte sie geheiratet, aber Menoikeus war nicht irgendwer, er stammte von den Drachenmännern ab, die aus dem lehmigen Boden Thebens gewachsen waren, in den Kadmos die Zähne des erschlagenen Drachen gesät hatte. Zuerst waren nur die Speerspitzen sichtbar gewesen, dann die Helmbüsche, dann die Köpfe, die sich haßerfüllt anspieen; als die Drachenmänner bis zur Brust aus dem Lehmboden gewachsen waren, schlugen sie aufeinander ein, rüttelten an den Speeren, die noch halb in der Erde steckten, und endlich aus den Furchen entlassen, in die sie gesät worden waren, fielen sie sich an wie Raubtiere; aber Menoikeus' Urgroßvater Udaios hatte den mörderischen Kampf überlebt und auch den Felsen, den Kadmos auf die sich niedermetzelnden Drachenmänner schmetterte. Menoikeus glaubte an die alten Geschichten, und weil er an sie glaubte, haßte er Laios, diesen dünkelhaften Aristokraten, der sein Geschlecht aus der Ehe des Kadmos mit der Harmonia herleitete, der Tochter des Ares und der Aphrodite, na ja, es mußte eine Bombenhochzeit gewesen sein – aber vorher hatte Kadmos den Drachen getötet und dessen Zähne gesät, das stand fest: Menoikeus der Drachenmann fühlte sich über Laios den König erhaben, die Zeugung seines Geschlechts war die ältere und die wunderbarere, Harmonia samt Ares und Aphrodite hin oder her, und als Laios Iokaste heiratete, das stolze helläugige Mädchen mit den wilden roten Haaren, dämmerte in Menoikeus die Hoffnung, er oder wenigstens sein Sohn Kreon könnten einmal zur Herrschaft kommen, Kreon, der schwarzhaarige, finstere, pockennarbige, vor dessen leiser Stimme die Arbeiter auf dem Bau gezittert hatten und vor der nun die Soldaten zitterten, denn jetzt war Kreon, der Schwager des Königs, Oberbefehlshaber der Armee. Nur die Palastwache war ihm nicht unterstellt. Doch Kreon hatte etwas entsetzlich Treues, er war stolz auf seinen Schwager Laios, ja sogar dankbar, und er hing an seiner Schwester, er hatte sie immer in Schutz genommen, trotz der häßlichen Gerüchte, die umliefen; so kam es nie zu einer Revolution. Es war zum Verzweifeln, wie oft war Menoikeus drauf und dran, Kreon zuzurufen: Rebelliere endlich, mach dich zum König!, aber er wagte es dann doch nicht, und so hatte er seine Hoffnung schon aufgegeben, als er in der Schenke des Poloros – auch der Urenkel eines Drachenmannes gleichen Namens – Tiresias traf, den gewaltigen, harten, blinden, von einem Knaben geführten Seher. Tiresias, mit den Göttern persönlich bekannt, beurteilte die Chance Kreons, König zu werden, durchaus nicht pessimistisch, den Ratschluß der Götter wisse man nicht, oft wüßten diese ihn sogar selber noch nicht, sie seien manchmal unentschieden und geradezu froh, wenn sie von seiten der Menschen gewisse Hinweise – na ja, in seinem, Menoikeus' Falle koste das fünfzigtausend Talente. Menoikeus erschrak, weniger über die riesige Summe als über die Tatsache, daß diese riesige Summe genau seinem riesigen, an der Kadmeia und anderen königlichen Bauten verdienten Vermögen entsprach, Menoikeus hatte immer nur fünftausend versteuert: Menoikeus zahlte.

Vor den geschlossenen Augen der Pythia, die sich in den längst dichteren Dämpfen rhythmisch wiegte, stieg eine hochmütige Gestalt auf, zweifelos königlich, aber gelangweilt, blond, gepflegt, müde. Pannychis wußte, daß es Laios war. Natürlich war der Monarch erstaunt gewesen, als Tiresias ihm das Orakel Apolls überbrachte, sein Sohn, falls Iokaste einmal gebäre, werde ihn ermorden. Aber Laios kannte Tiresias, die Preise eines bei Tiresias

bestellten Orakels waren unverschämt, nur reiche Leute
konnten sich Tiresias leisten, die meisten waren gezwungen, sich persönlich nach Delphi zu begeben und die
Pythia zu befragen, was weitaus unzuverlässiger ausfiel:
Wenn nämlich Tiresias die Pythia befragte, so, war man
überzeugt, sprang die Kraft des Sehers auf die Pythia
über, Unsinn natürlich, Laios war ein aufgeklärter Despot, die Frage war nur, wer Tiresias bestochen hatte, ein
derart heimtückisches Orakel zu bewirken, jemand mußte ein Interesse daran haben, daß Laios und Iokaste keine
Kinder zeugten, entweder Menoikeus oder Kreon, der
den Thron erbte, falls die Ehe kinderlos blieb. Aber
Kreon war aus prinzipieller Sturheit treu, sein politischer
Dilettantismus war zu eklatant. Also Menoikeus. Der sah
sich wohl schon als Vater eines Königs, bei Zeus, mußte
der an der Staatskasse verdient haben, die Preise, die
Tiresias verlangte, überstiegen bei weitem das Vermögen,
welches Menoikeus versteuerte. Schön, der Drachenmann war sein Schwiegervater, seine Konspiration nicht
der Rede wert, aber ein Riesenvermögen für ein Orakel
zu verschleudern, wo es doch so billig zu haben war ...
Zum Glück züngelte, wie jedes Jahr in Theben, eine
kleine Pest rund um die Kadmeia, raffte einige Dutzend
dahin, meist unnützes Gesindel, Philosophen, Rhapsoden und andere Dichter. Laios schickte seinen Sekretär
nach Delphi, mit gewissen Vorschlägen und zehn Goldmünzen: für zehn Talente tat der Oberpriester alles; elf
Talente hätte er schon ins Hauptbuch eintragen müssen.
Das Orakel, das der Sekretär von Delphi zurückbrachte,
lautete, die Pest, die sich inzwischen verzogen hatte,
werde erlöschen, wenn ein Drachenmann sich opfere.
Nun, die Pest konnte wieder auflodern. Poloros, der

Wirt, beteuerte, er stamme überhaupt nicht von Poloros, dem Drachenmann ab, das sein ein bösartiges Gerücht. Menoikeus, als nun einziger noch vorhandener Drachenmann, mußte auf die Stadtmauer steigen und sich hinabstürzen, es ging nicht anders, aber eigentlich war Menoikeus ganz froh, sich der Stadt opfern zu dürfen, seine Begegnung mit Tiresias hatte ihn finanziell ruiniert: er war zahlungsunfähig, die Arbeiter murrten, der Marmorlieferant Kapys hatte seine Lieferungen längst eingestellt, ebenso die Ziegelbrennerei; der Ostteil der Stadtmauer war eine hölzerne Attrappe, die Statue des Kadmos auf dem Ratsplatz aus bronzebemaltem Gips, beim nächsten Platzregen hätte sich Menoikeus ohnehin das Leben nehmen müssen. Sein Sturz vom Südteil der Stadtmauer glich dem Fall einer ohnmächtig gewordenen Riesenschwalbe, feierliche Gesänge der Ehrenjungfrauen bildeten den akustischen Hintergrund; Laios drückte Iokastes Hand, Kreon salutierte. Aber als Iokaste Ödipus gebar, wurde Laios stutzig. Natürlich glaubte er dem Orakel nicht, es war absurd, daß sein Sohn ihn töten werde, aber, bei Hermes, hätte er nur gewußt, ob Ödipus wirklich sein Sohn war, er gab ja zu, irgend etwas hatte ihn gehindert, mit seiner Frau zu schlafen, die Ehe war ohnehin eine Vernunftehe, er hatte sich mit Iokaste vermählt, um etwas volkstümlicher zu werden, denn, bei Hermes, Iokaste mit ihrem vorehelichen Lebenswandel war populär, die halbe Stadt war mit Laios liiert; wahrscheinlich war es nur ein Aberglaube, der ihn hinderte, mit Iokaste zu schlafen, doch die Idee, sein Sohn könne ihn töten, war irgendwie ernüchternd, und, offengestanden, Frauen mochte Laios überhaupt nicht, er zog ihnen die jungen Rekruten vor, aber im Suff mußte er vielleicht doch wohl hin und wieder mit seiner Frau geschlafen haben, wie Iokaste behauptete, er wußte es nicht so recht, und dann dieser verdammte Gardeoffizier – am besten, man ließ das Balg, das da plötzlich in der Wiege lag, aussetzen.

Die Pythia hüllte sich fester in ihren Mantel, die Dämpfe wurden plötzlich eisig, sie fror, und wie sie fror, sah sie wieder das blutverkrustete Antlitz des zerlumpten Bettlers vor sich, das Blut schwand aus den Augenhöhlen, blaue Augen blickten sie an, ein wildes, aufgerissenes, ungriechisches Gesicht, ein Jüngling stand vor ihr, es war wie einst, als Pannychis Ödipus mit ihrem erfundenen Orakel zum Narren halten wollte. Er wußte damals, dachte sie, daß er nicht der Sohn des Königs von Korinth, Polybos, und seiner Gemahlin Merope war, er hat mich getäuscht!

»Natürlich«, antwortete der Jüngling Ödipus durch die Dämpfe hindurch, welche die Pythia immer dichter umgaben, »ich wußte es immer. Die Mägde und Sklaven haben es mir erzählt und auch der Hirte, der mich im Gebirge Kithairon fand, einen hilflosen Säugling, dem man die Füße mit einem Nagel durchbohrt und zusammengebunden hatte. Ich wußte, daß ich so dem König Polybos von Korinth übergeben worden war. Zugegeben, Polybos und Merope waren gut zu mir, aber sie waren nie ehrlich, sie fürchteten sich, mir die Wahrheit zu sagen, weil sie sich etwas vormachten, weil sie einen Sohn haben wollten, und so brach ich nach Delphi auf. Apoll war die einzige Instanz, an die ich mich wenden konnte. Ich sage dir, Pannychis, ich glaubte an Apoll, und ich glaube noch immer an ihn, ich hatte Tiresias als Vermittler nicht nötig, aber ich kam nicht mit einer echten Frage zu Apoll, ich wußte ja, daß Polybos nicht

mein Vater war; ich kam zu Apoll, um ihn hervorzulok-
ken, und ich lockte ihn aus seinem göttlichen Versteck
hervor: Sein Orakel, das mir aus deinem Munde ent-
gegendröhnte, war nun wirklich scheußlich, wie es die
Wahrheit ja wohl immer ist, und so scheußlich ging das
Orakel denn auch in Erfüllung. Als ich dich damals
verließ, überlegte ich: Wenn Polybos und Merope nicht
meine Eltern waren, mußten es nach dem Orakel jene
sein, an denen sich der Orakelspruch vollziehen würde.
Als ich bei einem Kreuzweg einen alten, hitzigen, eitlen
Mann tötete, wußte ich, schon bevor ich tötete, daß es
mein Vater war, wen sonst hätte ich töten können als
meinen Vater – wen ich außerdem noch tötete, das war
später, ein nebensächlicher Gardeoffizier, dessen Namen
ich vergessen habe.«

»Noch jemanden hast du getötet«, warf die Pythia ein.

»Wen denn?« fragte Ödipus verwundert.

»Die Sphinx«, antwortete Pannychis. Ödipus schwieg
einen Augenblick, als müsse er sich erinnern, lächelte.
»Die Sphinx«, sagte Ödipus, »war ein Ungeheuer mit
einem Frauenkopf, einem Löwenleib, einem Schlangen-
schwanz, mit Adlerflügeln und mit einem läppischen
Rätsel. Es stürzte sich vom Berge Phikion in die Ebene
hinab, und darauf, als ich in Theben Iokaste heiratete –
weißt du, Pannychis, dir sei es gesagt, du wirst bald
sterben, und darum darfst Du es wissen: Ich haßte meine
wirklichen Eltern mehr als etwas anderes, sie wollten
mich den wilden Tieren vorwerfen, ich wußte nicht, wer
sie waren, aber das Orakel Apolls erlöste mich: Mit einer
heiligen Raserei stürzte ich im Engpaß zwischen Delphi
und Daulis Laios vom Wagen, und wie er sich in den
Zügeln verfangen hatte, peitschte ich die Rosse, daß sie

meinen Vater zu Tode schleiften, und wie er verröchelte, staubverschmiert, bemerkte ich im Straßengraben seinen von meinem Speer verwundeten Wagenlenker. ›Wie hieß dein Herr?‹ fragte ich ihn. Er starrte mich an und schwieg. ›Nun?‹ herrschte ich ihn an. Er nannte mir den Namen, ich hatte den König von Theben zu Tode schleifen lassen, und dann nannte er, als ich ungeduldig weiterfragte, den Namen der Königin von Theben. Er hatte mir den Namen meiner Eltern genannt. Es durfte keine Zeugen geben. Ich zog den Speer aus seiner Wunde und stieß noch einmal zu. Er verschied. Und als ich den Speer aus dem Leib des toten Wagenlenkers gezogen hatte, bemerkte ich, daß Laios mich ansah. Er lebte immer noch. Schweigend durchbohrte ich ihn. Ich wollte König von Theben werden, und die Götter wollten es so, und im Triumph beschlief ich meine Mutter, immer wieder, und pflanzte boshaft vier Kinder in ihren Bauch, weil die Götter es wollten, die Götter, die ich noch mehr hasse als meine Eltern, und jedesmal, wenn ich meine Mutter bestieg, haßte ich sie mehr als zuvor. Die Götter hatten das Ungeheuerliche beschlossen, und so sollte denn das Ungeheuerliche geschehen, und als Kreon mit dem Orakel des Apoll von Delphi zurückkehrte, die Pest werde sich erst besänftigen, wenn der Mörder des Laios gefunden sei, wußte ich endlich, warum die Götter ein so grausames Schicksal ausgeheckt hatten, wen sie zum Fraße wollten: mich, der ich ihren Willen erfüllt hatte. Im Triumph führte ich selbst den Prozeß gegen mich, im Triumph fand ich Iokaste in ihrem Gemach erhängt, und im Triumph stach ich meine Augen aus: Schenkten mir doch die Götter das größte nur denkbare Recht, die erhabenste Freiheit, jene zu hassen, die uns hervorgebracht haben, die Eltern, die Ahnen, die die Eltern hervorgebracht hatten, und darüber hinaus die Götter, die Ahnen und Eltern hervorbrachten, und wenn ich jetzt als blinder Bettler in Griechenland herumziehe, so nicht, um die Macht der Götter zu verherrlichen, sondern um sie zu verhöhnen.«

Pannychis saß auf dem Dreifuß. Sie fühlte nichts mehr. Vielleicht bin ich schon tot, dachte sie, und erst allmählich wurde ihr bewußt, daß vor ihr ein Weib in den Dämpfen stand, helläugig, mit wilden roten Haaren:

»Ich bin Iokaste«, sagte das Weib, »ich wußte es nach der Hochzeitsnacht, Ödipus erzählte mir sein Leben. Er war doch so treuherzig und offen und, bei Apoll, wie naiv er war, wie stolz darüber, daß er dem Ratschluß der Götter entkommen konnte, indem er nicht nach Korinth zurückgekehrt und Polybos nicht erschlagen und Merope nicht geheiratet hatte, die er immer noch für seine Eltern hielt, als wäre es möglich, dem Ratschluß der Götter zu entgehen. Ich ahnte es schon vorher, daß er mein Sohn war, gleich in der ersten Nacht, kaum daß er in Theben angekommen war. Ich wußte noch gar nicht, daß Laios tot war. Ich erkannte ihn an den Narben an seinen Fersen, als er nackt neben mir lag, aber ich klärte ihn nicht auf, warum auch, Männer sind immer so sensibel, und so sagte ich ihm denn auch nicht, daß Laios keineswegs sein Vater sei, wie er jetzt natürlich glaubt; sein Vater war der Gardeoffizier Mnesippos, ein gänzlich unbedeutender Schwätzer mit erstaunlichen Fähigkeiten auf einem Gebiet, wo er nicht zu reden brauchte. Daß er Ödipus in meinem Schlafzimmer überfiel, als mich mein Sohn und späterer Gatte zum ersten Male aufsuchte, mich kurz und ehrerbietig grüßte und gleich zu mir ins

Bett stieg, war wohl nicht zu vermeiden. Offenbar wollte er die Ehre des Laios verteidigen, ausgerechnet Mnesippos, der es doch mit dessen Ehre nie sonderlich genau genommen hat. Ich konnte Ödipus gerade noch sein Schwert in die Hand drücken, ein kurzes Gefecht, Mnesippos war nie ein starker Fechter. Ödipus ließ ihn den Geiern aussetzen, nicht aus Grausamkeit, sondern weil Mnesippos ein so schlechter Fechter gewesen war, aus sportlicher Kritik. Na ja, die fiel verheerend aus, Sportler sind strenge Leute. Aber weil ich Ödipus nicht aufklären durfte, um nicht gegen den Ratschluß der Götter zu handeln, konnte ich ihn auch nicht daran hindern, mich zu heiraten, grauenerfüllt, weil dein Orakel, Pannychis, wahr wurde, ohne daß ich etwas dagegen tun konnte: ein Sohn, der zu seiner Mutter ins Bett steigt, Pannychis, ich glaubte, vor Entsetzen ohnmächtig zu werden, aber ich wurde ohnmächtig vor Lust, nie war sie gewaltiger, als wenn ich mich ihm hingab; der herrliche Polyneikes schoß aus meinem Leib, Antigone, rothaarig wie ich, Ismene, die zarte, Eteokles, der Held. Ich hatte mich mit meiner Hingabe an Ödipus nach dem Ratschluß der Götter an Laios gerächt, dafür, daß er meinen Sohn den wilden Tieren zum Fraße vorsetzen wollte und daß ich jahrelang um meinen Sohn bitterlich geweint hatte, und so war ich denn immer, wenn Ödipus mich umfing, eins mit dem Ratschluß der Götter, die meine Hingabe an den gewaltigen Sohn und mein Opfer wollten. Beim Zeus, Pannychis, unzählige Männer sind noch über mich gestiegen, geliebt aber habe ich nur Ödipus, den die Götter zu meinem Gatten bestimmten, damit ich als einzige der sterblichen Weiber nicht einem fremden, sondern dem von mir geborenen Manne untertan werde: mir selbst.

Daß er mich liebte, ohne zu wissen, daß ich seine Mutter war, ist mein Triumph; daß das Unnatürlichste zum Natürlichsten wurde, macht das Glück, das die Götter mir bestimmten. Ihnen zu Ehren habe ich mich erhängt – das heißt, nicht eigentlich ich erhängte mich, sondern der Nachfolger des Mnesippos, der erste Gardeoffizier des Ödipus, Molorchos. Denn als dieser vernahm, daß ich die Mutter des Ödipus sei, raste er, eifersüchtig auf den zweiten Gardeoffizier Meriones, in mein Schlafzimmer, rief: ›Wehe dir, Blutschänderin!‹ und hängte mich an den Türbalken. Alle glauben, ich hätte es selbst getan. Auch Ödipus glaubt es, und weil er mich nach dem Ratschluß der Götter mehr liebt als sein Leben, blendete er sich: So gewaltig ist seine Liebe zu mir, die ich seine Mutter und sein Weib zugleich gewesen bin. – Aber vielleicht war Molorchos gar nicht auf Meriones eifersüchtig, sondern auf den dritten Gardeoffizier Melontheus – komisch, alle meine Gardeoffiziere begannen nach dem Ratschluß der Götter mit M – aber das ist nun wirklich gleichgültig, die Hauptsache, denke ich, ist, daß ich nach dem Ratschluß der Götter meinem Leben freudig ein Ende setzen lassen durfte. Ödipus, meinem Sohn und Gatten zum Lobe, Ödipus, den ich nach dem Ratschluß der Götter mehr liebte, als ich je einen Mann geliebt habe, und Apollo zum Preise, der aus deinem Munde, Pannychis, die Wahrheit verkündete.«

»Du Luder«, schrie die Pythia heiser, »du Luder, mit deinem Ratschluß der Götter, ich habe doch nur geschwindelt mit meinem Orakel!«

Aber es war kein Schreien mehr, es war ein heiseres Flüstern, und nun stieg ein ungeheurer Schatten aus der Erdspalte, das Licht der grauhellen Nacht verdeckte eine undurchdringliche Wand vor der Pythia.

»Weißt du, wer ich bin?« fragte der Schatten, der ein Gesicht bekam, dessen eisgraue Augen sie ruhig betrachteten.

»Du bist Tiresias«, antwortete die Pythia, sie hatte ihn erwartet.

»Du weißt, warum ich dir erscheine«, sagte Tiresias, »auch wenn es mir in diesen Dämpfen recht ungemütlich ist, ich leide nicht unter Rheumatismus.«

»Ich weiß«, sagte die Pythia erleichtert, das Geschwätz der Iokaste hatte ihr das Leben endgültig verleidet. »Ich weiß, du kommst, weil ich jetzt sterben muß. Das war mir schon lange klar. Längst bevor die Schatten heraufstiegen, Menoikeus, Laios, Ödipus, die Hure Iokaste und jetzt du. Steig wieder hinab, Tiresias, ich bin müde.«

»Auch ich muß jetzt sterben, Pannychis«, sagte der Schatten, »mit uns beiden wird es im gleichen Augenblick vorüber sein. Eben habe ich, mit meinem wirklichen Körper, erhitzt aus der Quelle Tilphussa getrunken.«

»Ich hasse dich«, zischte die Pythia.

»Laß deinen Groll«, lachte Tiresias, »fahren wir beide versöhnt in den Orkus«, und auf einmal bemerkte Pannychis, daß der gewaltige uralte Seher gar nicht blind war, denn er zwinkerte ihr mit seinen hellen grauen Augen zu.

»Pannychis«, meinte er väterlich, »allein das Nichtwissen der Zukunft macht uns die Gegenwart erträglich. Ich wunderte mich immer maßlos darüber, daß die Menschen so erpicht sind, die Zukunft zu erfahren. Sie scheinen das Unglück dem Glück vorzuziehen. Nun gut, wir lebten von diesem Hang der Menschen, ich, zugegeben, weitaus besser als du, wenn es auch nicht ganz leicht war, jene sieben Leben lang, die mir die Götter schenkten, den Blinden zu spielen. Aber die Menschen wünschen nun einmal blinde Seher, und seine Kunden darf man nicht enttäuschen. Was nun das erste von mir in Delphi bestellte Orakel betrifft, worüber du dich so geärgert hast, das Orakel über Laios, nimm es nicht so schlimm. Ein Seher braucht Geld, eine vorgetäuschte Blindheit kostet, der Knabe, der mich führte, mußte bezahlt werden, jedes Jahr ein anderer, hatte er doch unbedingt siebenjährig zu sein, dann das Spezialpersonal, dazu überall in Griechenland Vertrauensleute, und da kommt dieser Menoikeus – ich weiß, ich weiß, im Archiv hast Du nur fünftausend Talente verbucht gefunden, die ich für das Orakel bezahlte, während mir Menoikeus fünfzigtausend – aber es war ja auch kein Orakel, sondern eine Warnung, denn Laios, an den die Warnung ging, sein Sohn werde ihn töten, hatte nicht nur keinen Sohn, es war ihm auch unmöglich, einen zu haben, ich mußte schließlich seine für einen Dynasten verhängnisvolle Veranlagung in Betracht ziehen.

Pannychis«, fuhr Tiresias begütigend fort, »ich bin wie du ein vernünftiger Mensch, ich glaube auch nicht an die Götter, aber ich glaube an die Vernunft, und weil ich an die Vernunft glaube, bin ich überzeugt, daß der unvernünftige Glaube an die Götter vernünftig anzuwenden ist. Ich bin Demokrat. Es ist mir bewußt, daß schon unser Uradel heruntergekommen und verrottet ist, durch und durch bestechlich, für jedes Geschäft zu haben, sein sittlicher Zustand ist unbeschreiblich: Wenn ich nur an den ewig betrunkenen Prometheus denke, der seine Leberzirrhose lieber den Adlern des Zeus zuschreibt als dem Alkohol, oder an den völlig verfressenen Tantalos,

der die Einschränkungen, die ihm seine Diabetesdiät
auferlegt, so maßlos übertreibt. Und erst unser Hochadel, ich bitte dich. Thyestes verspeist seine Kinder,
Klytämnestra erschlägt ihren Gatten, Leda treibt es mit
einem Schwan, die Gattin des Minos mit einem Stier – ich
danke schön. Dennoch, wenn ich mir die Spartaner
vorstelle mit ihrem totalen Staat – verzeih, Pannychis, ich
möchte dich nicht mit Politik belästigen –: aber die
Spartaner leiten sich nun einmal auch von den Drachenmännern ab, von Chthonios, einem der fünf Berserker,
die am Leben blieben, und Kreon stammt von Udaios ab,
der sich erst nach dem Gemetzel aus dem Boden heraus-
wagte – meine verehrte Pythia, Kreon ist treu, zugegeben, die Treue ist etwas Wunderbares und Hochanstän-
diges, auch zugegeben, aber ohne Treue gibt es keine
Diktatur, die Treue ist der Fels, auf dem der totale Staat
ruht, ohne Treue würde er im Sand versinken; während
für die Demokratie eine gewisse maßvolle Treulosigkeit
vonnöten ist, etwas Flatterhaftes, Charakterloses, Phan-
tasievolles. Hat Kreon Phantasie? Ein fürchterlicher
Staatsmann brütet sich da aus, Kreon ist ein Drachenmann, wie die Spartaner Drachenmänner sind. Mein
Wink an Laios, er solle sich vor einem Sohne hüten, den
er doch nicht haben konnte, war eine Warnung vor dem
Erben Kreon, den Laios an die Macht bringen würde,
wenn er nicht vorsorgte: Einer seiner Generäle war
schließlich Amphitryon, bester, noch anständiger Uradel, seine Frau Alkmene von noch anständigerem Uradel, sein oder nicht sein Sohn Herkules – lassen wir die
Klatschgeschichten; mit den Kadmiden war es zu Ende,
das wußte Laios bei seiner Veranlagung, und ich wollte
ihm ja nur mit meinem Orakel den Hinweis geben, es sei

klug, Amphitryon zu adoptieren: aber er adoptierte ihn nicht. Laios war nicht so klug, wie ich dachte.«

Tiresias schwieg, wurde düster, finster.

»Alle lügen«, stellte die Pythia fest.

»Wer lügt?« fragte Tiresias, immer noch in sich versunken.

»Die Schatten«, antwortete die Pythia, »keiner sagt die ganze Wahrheit, ausgenommen Menoikeus, aber der ist zu dumm, um zu lügen. Laios lügt und die Hure Iokaste lügt. Sogar Ödipus ist nicht ehrlich.«

»Im großen und ganzen schon«, meinte Tiresias.

»Möglich«, antwortete die Pythia bitter, »bloß mit der Sphinx schwindelt er. Ein Ungeheuer mit einem Frauenkopf und mit einem Löwenleib. Lächerlich.«

Tiresias betrachtete die Pythia: »Willst du wissen, wer die Sphinx ist?« fragte er.

»Nun?« fragte Pannychis. Der Schatten des Tiresias rückte näher, hüllte sie ein, beinahe väterlich.

»Die Sphinx«, erzählte er, »war so schön, daß ich die Augen aufriß, als ich sie zum ersten Male sah, von ihrem gezähmten Löwinnen umgeben, vor ihrem Zelt auf dem Berge Phikion bei Theben. ›Komm, Tiresias, du alter Gauner, jag deinen Knaben ins Gebüsch und setze dich zu mir‹, lachte sie. Ich war froh, daß sie es nicht vor dem Knaben sagte, sie wußte, daß ich meine Blindheit nur spielte, doch sie behielt es für sich. So saß ich denn bei ihr auf einem Fell vor dem Zelt, die Löwinnen schnurrten um uns herum. Sie hatte lange weiche weißgoldene Haare, sie war geheimnisvoll und hell, sie war einfach etwas Wahres; nur wenn sie wie Stein wurde – dann erschrak ich, Pannychis, einmal nur erlebte ich sie so: als sie mir ihr Leben erzählte. Du kennst ja die Unglücksfamilie des

Pelops. Bester Hochadel. Na ja, der junge Laios hatte, kaum war er König von Theben geworden, die berühmte Hippodameia verführt, auch Hochadel. Ihr Gatte rächte sich im Stile der Familie: Pelops entmannte Laios und ließ den Winselnden laufen. Die Tochter, die Hippodameia gebar, nannte die Mutter selbst höhnisch Sphinx, die Würgerin, und weihte sie dem Hermes zur Priesterin, um sie zur ewigen Keuschheit zu verdammen, aber auch, damit Hermes, der Gott des Handels, dem Export nach Kreta und Ägypten gnädig sei, von dem die Pelopse lebten; und dabei hatte Hippodameia den Laios verführt, nicht umgekehrt, aber wie alle Aristokraten wußte auch sie das Angenehme mit dem Grausamen und das Grausame mit dem Nützlichen zu verbinden. Warum aber die Sphinx auf dem Berge Phikion ihren Vater in Theben belagerte und jeden, der ihr Rätsel nicht lösen konnte, von ihren Löwinnen zerfleischen ließ, verriet sie mir nicht, vielleicht nur, weil sie erriet, daß ich sie im Auftrage des Laios aufgesucht hatte, um ihre Absichten zu erforschen. Sie gab mir nur den Befehl mit, Laios solle Theben mit seinem Wagenlenker Polyphontes verlassen. Laios gehorchte zu meiner Verwunderung.«

Tiresias dachte nach: »Was dann geschah«, sagte er, »weißt du ja, Pythia: das unglückliche Zusammentreffen im Engpaß zwischen Delphi und Daulis, die Ermordung des Laios und des Polyphontes durch Ödipus und dessen Begegnung mit der Sphinx auf dem Berge Phikion. Na schön. Ödipus löste das Rätsel, und die Sphinx stürzte sich auf die Ebene hinab.« Tiresias schwieg.

»Du plapperst, Alter«, sagte die Pythia, »warum erzählst du mir diese Geschichte?«

»Sie quält mich«, sagte Tiresias. »Darf ich mich zu dir

setzen? Ich friere, der kalte Trunk aus der Quelle Tilphussa verbrennt mich.«

»Nimm den Dreifuß Glykeras«, antwortete die Pythia,
und der Schatten des Tiresias setzte sich zu ihr über die
Erdspalte. Die Dämpfe kamen dichter und rötlicher.

»Warum quält sie Dich denn?« fragte die Pythia fast
freundschaftlich, »was ist die Geschichte der Sphinx an-
deres als der unbedeutende Bericht, wie das jämmerliche
Geschlecht des Kadmos endete? Mit einem kastrierten
König und einer zur ewigen Keuschheit verdonnerten
Priesterin.«

»Etwas stimmt nicht an dieser Geschichte«, sagte Tiresias nachdenklich.

»Nichts stimmt daran«, antwortete die Pythia, »und es
spielt auch keine Rolle, daß nichts stimmt, weil es für
Ödipus keine Rolle spielt, ob Laios schwul oder kastriert
war, so oder so war er nicht sein Vater. Die Geschichte
der Sphinx ist vollkommen nebensächlich.«

»Gerade das beunruhigt mich«, brummte Tiresias, »es
gibt keine nebensächlichen Geschichten. Alles hängt zusammen. Rüttelt man irgendwo, rüttelt man am Ganzen.
Pannychis«, schüttelte er den Kopf, »warum mußtest Du
mit Deinem Orakel die Wahrheit erfinden! Ohne Dein
Orakel hätte Ödipus Iokaste nicht geheiratet. Er wäre
jetzt ein braver König von Korinth. Aber ich will Dich
nicht anklagen. Die größte Schuld trage ich. Ödipus
tötete seinen Vater, gut, kann vorkommen, er beschlief
seine Mutter, na und? Aber daß alles so exemplarisch ans
Tageslicht kommen mußte, ist das Katastrophale. Dieses
vermaledeite letzte Orakel auf Grund dieser ewigen Pest!
Statt einer anständigen Kanalisation mußte wieder einmal
ein Orakel her.

Dabei war ich im Bilde, Iokaste hatte mir alles gebeichtet. Ich wußte, wer der wirkliche Vater des Ödipus war: ein unbedeutender Gardeoffizier. Ich wußte, wen er geheiratet hatte: seine Mutter. Nun gut, überlegte ich, jetzt gilt es, Ordnung zu schaffen. Inzest hin oder her, Ödipus und Iokaste haben immerhin vier Kinder, da galt es eine Ehe zu retten. Der einzige, der ihr noch gefährlich werden konnte, war der kreuzehrliche Kreon, der treu zu seiner Schwester und zu seinem Schwager hielt, doch käme er dahinter, daß sein Schwager sein Neffe und die Kinder seines Schwagers seine seinen Neffen gleichgesetzten Neffen – dem wäre seine Weltanschauung nicht gewachsen, er würde Ödipus stürzen, allein aus Treue zum Sittengesetz. Wir würden wie in Sparta den totalen Staat bekommen, Blutsuppen, die anomalen Kinder liquidiert, tägliches Exerzieren, Heldentum als Bürgerpflicht, und so inszenierte ich damals die größte Dummheit meines Lebens: Ich war überzeugt, Kreon hätte Laios damals im Engpaß zwischen Delphi und Daulis umgebracht, um selbst König zu werden, aus Treue natürlich, diesmal zu seiner Schwester, deren Sohn er rächen wollte, da er ja glauben mußte, der ausgesetzte Ödipus sei ein Sohn des Laios gewesen, vermochte sich Kreons simples Gemüt einen Ehebruch doch einfach nicht vorzustellen; und das alles kombinierte ich bloß, weil mir Iokaste verschwieg, daß Ödipus Laios getötet hatte. Denn ich glaube, daß sie es wußte. Ich bin sicher, daß Ödipus ihr den Vorfall im Engpaß zwischen Delphi und Daulis erzählt hat und daß sie nur so tat, als wisse sie nicht, wem Laios zum Opfer gefallen war. Iokaste muß es sofort erraten haben.

Warum, Pannychis, sagen die Menschen nur die unge-

fähre Wahrheit, als ob es bei der Wahrheit nicht vor allem
auf die Details ankomme? Vielleicht weil die Menschen
selbst nur etwas Ungefähres sind. Diese verfluchte Unge-
nauigkeit. In diesem Falle schlich sie sich wohl nur
deshalb ein, weil Iokaste es einfach vergaß, weil der Tod
des Laios sie nichts anging, sie überging eine Lappalie,
weiter nichts, aber eine Lappalie, die mir die Augen
geöffnet und mich gehindert hätte, den Verdacht, der
Mörder des Laios zu sein, auf Ödipus zu lenken, ich
hätte dich orakeln lassen: Apollo befiehlt, eine Kanalisation zu bauen, und Ödipus wäre immer noch König von
Theben, Iokaste immer noch Königin. Statt dessen? Jetzt
herrscht der treue Kreon auf der Kadmeia und errichtet
seinen totalen Staat. Was ich vermeiden wollte, ist einge-
troffen. Steigen wir hinab, Pannychis.«

Die Alte blickte zum offenen Hauptportal. Das Rechteck schimmerte hell durch den roten Dampf, eine vio-
lette Fläche, die sich verbreitete, auf der ein undeutlicher
Knäuel erschien, der schärfer, gelb, schließlich zu Löwinnen wurde, die einen Fleischklumpen zerrissen; dann
würgten die Löwinnen das Verschlungene wieder heraus,
ihren Tatzen entwand sich ein menschlicher Leib, Stoff-
fetzen wuchsen zusammen, die Löwinnen wichen zurück, und im Portal stand eine Frau im weißen Gewande
einer Priesterin.

»Ich hätte nie Löwinnen zähmen sollen«, sagte sie.

»Es tut mir leid«, sagte Tiresias, »dein Ende war
wirklich schrecklich.«

»Sah nur so aus«, begütigte die Sphinx, »man ärgert
sich so, daß man nichts spürt. Aber nun, da alles vorüber
ist und ihr beiden bald auch nur Schatten sein werdet, die
Pythia hier, Tiresias bei der Quelle Tilphussa und gleich-

zeitig in dieser Höhle, sollt ihr die Wahrheit erfahren. Bei Hermes, diese Zugluft!« Sie raffte ihr dünnes, durchsichtiges Gewand zusammen.

»Du hast dich immer gewundert, Tiresias«, fuhr sie fort, »warum ich mit meinen Löwinnen Theben belagert habe. Nun, mein Vater war nicht der, für den er sich ausgab und für den du ihn gehalten hast, um dein Gewissen zu beruhigen. Er war ein heimtückischer und abergläubischer Tyrann. Er wußte genau, daß jede Tyrannei dann unerträglich wird, wenn sie auf Grundsätzen beruht; nichts erträgt der Mensch weniger als eine sture Gerechtigkeit. Gerade sie empfindet er als ungerecht. Alle Tyrannen, die ihre Herrschaft auf Prinzipien gründen, auf die Gleichheit aller oder darauf, daß alles allen gemeinsam sei, erwecken in denen, über die sie herrschen, ein ungleich größeres Gefühl, unterdrückt zu sein, als jene Tyrannen wie Laios, die, zu faul für Ausreden, sich damit begnügen, Tyrannen zu sein, auch wenn sie weit schändlichere Tyrannen sind: Da ihre Tyrannei launisch ist, haben ihre Untertanen das Gefühl einer gewissen Freiheit. Sie sehen sich nicht von einer willkürlichen Notwendigkeit diktiert, die ihnen keine Hoffnung läßt, sondern sind einer zufälligen Willkür unterworfen, die ihnen ihre Hoffnung beläßt.«

»Donnerwetter«, sagte Tiresias, »du bist aber klug.«

»Ich habe über die Menschen nachgedacht, ich habe sie ausgefragt, bevor ich ihnen mein Rätsel aufgab und sie von meinen Löwinnen zerreißen ließ«, antwortete die Sphinx.

»Es interessierte mich, warum sich die Menschen beherrschen ließen: Aus Bequemlichkeit, die oft so weit geht, daß sie die unsinnigsten Theorien erfinden, um sich

- 2

eins mit ihren Beherrschern zu fühlen, und die Beherrscher ersinnen ebenso unsinnige Theorien, um sich einbilden zu können, sie beherrschten jene nicht, über die sie herrschen. Nur meinem Vater war das alles gleichgültig. Er war noch einer jener Gewaltherrscher, die stolz darauf waren, Gewaltherrscher zu sein. Er hatte es nicht nötig, eine Ausrede für seine Gewaltherrschaft zu erfinden. Was ihn quälte, war sein Schicksal: daß er kastriert und dem Geschlecht des Kadmos ein Ende gesetzt worden war. Ich spürte seine Trauer, seine bösen Gedanken, die undurchsichtigen Pläne, die er wälzte, wenn er mich besuchte, wenn er vor mir saß, stundenlang, und mich belauerte, und so fürchtete ich meinen Vater, und weil ich mich fürchtete, begann ich Löwinnen zu zähmen. Mit Recht. Als die Priesterin gestorben war, die mich aufgezogen hatte, und ich im Heiligtum des Hermes im Gebirge Kithairon mit den Löwinnen allein hauste – Pannychis, dir will ich es sagen, und auch Tiresias soll es meinetwegen wissen –, da besuchte mich Laios mit seinem Wagenlenker Polyphontes.

Sie traten aus dem Wald, irgendwo wieherten ängstlich ihre Pferde, die Löwinnen fauchten, ich fühlte etwas Böses, aber ich war gelähmt. Ich ließ sie ins Heiligtum. Mein Vater verriegelte die Tür und befahl Polyphontes, mich zu vergewaltigen. Ich wehrte mich. Mein Vater half Polyphontes, und während mich mein Vater umklammerte, kam Polyphontes seinem Befehl nach. Die Löwinnen brüllten um das Heiligtum. Sie schlugen mit den Pranken gegen die Tür. Sie hielt stand. Ich schrie, als Polyphontes mich nahm; die Löwinnen verstummten. Sie ließen Laios und Polyphontes ziehen.

Zur gleichen Zeit, als Iokaste ihrem Gardeoffizier

einen Knaben gebar, brachte auch ich einen Knaben zur Welt: Ödipus. Ich wußte nichts von dem dummen Orakel, das du, Tiresias, formuliert hattest. Ich weiß, du wolltest meinen Vater warnen und verhindern, daß Kreon an die Herrschaft käme, und du wolltest den Frieden sichern. Doch abgesehen davon, daß Kreon an die Macht gekommen ist und ein endloser Krieg beginnt, weil die sieben Fürsten gegen Theben anrücken, hast du vor allem Laios falsch eingeschätzt. Ich kenne seine Sprüche: Er gab sich aufgeklärt, aber vor allem er glaubte an das Orakel, vor allem er erschrak, als ihm verkündet wurde, sein Sohn werde ihn töten. Laios bezog das Orakel auf meinen Sohn, seinen Enkel; daß er sich vorsichtigerweise auch noch des Sohnes der Iokaste und ihres Gardeoffiziers entledigte, verstand sich von selbst: Fingerübungen eines Diktators, sicher ist sicher.

Und so erschien denn eines Abends ein Hirte des Laios bei mir mit einem Säugling, dessen Füße durchbohrt und zusammengebunden waren. Er übergab mir einen Brief, worin Laios mir befahl, meinen Sohn, seinen Enkel, samt dem Sohn Iokastes den Löwinnen vorzuwerfen. Ich machte den Hirten betrunken, er gestand mir, von Iokaste bestochen worden zu sein; er sollte ihren Sohn einem befreundeten Hirten des Königs Polybos von Korinth übergeben, ohne die Herkunft des Kindes zu verraten. Als der Hirte schlief, warf ich den Sohn Iokastes den Löwinnen vor und durchstach meinem Sohn die Fersen, und am nächsten Morgen zog der Hirte mit dem Menschenbündel weiter, ohne den Austausch zu bemerken.

Kaum war er davon, kam mein Vater mit Polyphontes; die Löwinnen räkelten sich faul, zwischen ihnen lag eine Kinderhand, ausgeblutet, weiß und klein wie eine Blume.

›Haben die Löwinnen beide Kinder zerfleischt?‹ fragte mein Vater ruhig. ›Beide‹, sagte ich. ›Ich sehe nur eine Hand‹, sagte er, wendete sie mit seinem Speer um. Die Löwinnen knurrten. ›Die Löwinnen haben beide zerfleischt‹, sagte ich, ›aber nur eine Hand übriggelassen, damit mußt du dich zufrieden geben.‹ ›Wo ist der Hirte?‹ fragte mein Vater. ›Ich habe ihn fortgeschickt‹, sagte ich. ›Wohin?‹ ›Zu einem Heiligtum‹, sagte ich, ›er war dein Werkzeug, aber ein Mensch. Er hat das Recht, sich von seiner Schuld, dein Werkzeug gewesen zu sein, zu reinigen – und nun geh.‹ Mein Vater und Polyphontes zögerten, aber die Löwinnen erhoben sich zornig, jagten die beiden davon und kehrten gemächlich zurück.

Mein Vater wagte mich nicht mehr zu besuchen. Achtzehn Jahre hielt ich mich still. Dann begann ich, mit meinen Löwinnen Theben zu belagern. Unsere Feindschaft war offen ausgebrochen, ohne daß mein Vater es wagte, den Grund dieses Krieges zu nennen. Argwöhnisch und immer noch vom Orakel verängstigt, wußte er mit Sicherheit nur, daß ein Kind tot war; wenn aber eines lebte, wußte er nicht welches, er fürchtete, daß sein Enkel noch irgendwo lebe und ich mit ihm im Bunde sei. Er schickte dich zu mir, Tiresias, um mich auszuhorchen.«

»Er sagte mir nicht die Wahrheit, und du sagtest mir nicht die Wahrheit«, antwortete Tiresias bitter.

»Hätte ich dir die Wahrheit gesagt, du hättest nur wieder ein Orakel inszeniert«, lachte die Sphinx.

»Und warum befahlst du deinem Vater, Theben zu verlassen?« fragte Tiresias.

»Weil ich wußte, daß er in seiner Todesangst nach Delphi wollte. Ich ahnte ja nicht, welch genialische Orakelei dort inzwischen mit Pannychis eingerissen hatte, ich dachte, käme Laios, würde, um Widersprüche zu vermeiden, im Archiv nachgeschaut und das alte Orakel wiederholt, das hätte ihn noch mehr in Furcht und Schrecken versetzt! Nun wissen die Götter allein, was geschehen wäre, hätte Laios Pannychis befragt, was die ihm vorgeflunkert und was er geglaubt hätte. Aber es kam nicht dazu, Laios und Polyphontes trafen im Engpaß zwischen Delphi und Daulis auf Ödipus, und der Sohn erstach nicht nur seinen Vater Polyphontes, sondern ließ auch seinen Großvater Laios von den Rossen zu Tode schleifen.«

Die Sphinx schwieg. Die Dämpfe hatten aufgehört, der Dreifuß neben der Pythia war leer, Tiresias war wieder ein mächtiger Schatten, kaum zu unterscheiden von den Quadern, die das Hauptportal umtürmten, in welchem die Sphinx stand, nur noch eine Silhouette.

»Dann wurde ich die Geliebte meines Sohnes. Man kann über seine glücklichen Tage nicht viel sagen«, fuhr die Sphinx nach langem Schweigen fort, »das Glück haßt die Worte. Bevor ich Ödipus kennenlernte, verachtete ich die Menschen. Sie waren verlogen, und weil sie verlogen waren, kamen sie nicht darauf, daß das Rätsel, welches Wesen allein die Zahl seiner Füße wechsle, am Morgen sei es vier-, am Mittag zwei- und am Abend dreifüßig, aber wenn es die meisten Füße bewege, seien Kraft und Schnelligkeit seiner Glieder am geringsten, sie selber meine, und so ließ ich die Unzähligen, die keine Lösung wußten, von meinen Löwinnen zerfleischen. Sie schrien um Hilfe, während sie zerfetzt wurden, und ich half ihnen nicht, ich lachte nur.

Doch als Ödipus kam, humpelnd, von Delphi her, und

mir antwortete, das sei der Mensch, er krieche als Säugling auf allen vieren, stehe in seiner Jugend fest auf zwei Beinen und stütze sich im hohen Alter auf einen Stock, warf ich mich nicht vom Berge Phikion hinab in die Ebene. Warum auch? Ich wurde seine Geliebte. Er fragte mich nie nach meiner Herkunft. Er bemerkte natürlich, daß ich eine Priesterin war, und weil er ein frommer Mann war, glaubte er, es sei verboten, mit einer Priesterin zu schlafen, und weil er dennoch mit mir schlief, stellte er sich unwissend, und darum fragte er mich nicht nach meinem Leben, und ich fragte ihn nie nach dem seinen, nicht einmal nach seinem Namen, denn ich wollte ihn nicht in Verlegenheit bringen. Ich wußte wohl, daß, hätte er mir seinen Namen und seine Herkunft genannt, er sich vor Hermes gefürchtet hätte, dem ich geweiht war, der nun auch seinen Namen gekannt hätte, und als frommer Mann hielt er die Götter für entsetzlich eifersüchtig, und vielleicht ahnte er auch, daß, hätte er nach meiner Herkunft geforscht, welches er doch aus der Neugier eines Liebenden hätte tun sollen, er darauf gestoßen wäre, daß ich seine Mutter war. Aber er fürchtete sich vor der Wahrheit, und auch ich fürchtete mich vor ihr. So wußte er nicht, daß er mein Sohn, und ich nicht, daß ich seine Mutter war. Ich zog mich, glücklich über einen Geliebten, den ich nicht und der mich nicht kannte, mit meinen Löwinnen in mein Heiligtum im Gebirge Kithairon zurück; Ödipus besuchte mich immer wieder, unser Glück war rein wie ein vollkommenes Geheimnis.

Nur die Löwinnen wurden unruhiger, bösartiger, nicht gegen Ödipus, sondern gegen mich. Sie fauchten mich an, immer erregter, unberechenbarer, und schlugen mit ihren Tatzen gegen mich. Ich schlug mit meiner

Peitsche zurück. Sie duckten sich, knurrten, und als Ödipus nicht mehr kam, griffen sie an, und ich wußte plötzlich, daß etwas Unfaßbares geschehen war – nun, ihr habt ja gesehen, was mit mir geschah und nun in der Unterwelt immer wieder geschieht. Und als von der Erdspalte her, über der Pannychis sitzt, eure Stimmen zu mir herunterwehten, vernahm ich die Wahrheit, hörte ich, was ich schon längst hätte wissen müssen und was doch nichts geändert hätte, daß mein Geliebter mein Sohn gewesen ist, und du, Pannychis, hast die Wahrheit verkündet.«

Die Sphinx begann zu lachen, wie vorher die Pythia bei Ödipus gelacht hatte. Auch ihr Lachen wurde immer unermeßlicher, selbst als sich die Löwinnen wieder auf sie stürzten, lachte sie, auch als sie ihr das weiße Kleid vom Leibe rissen und als die Löwinnen sie zerfleischten, lachte sie immer noch. Dann war nicht mehr auszumachen, was da von den gelben Bestien verschlungen wurde, das Lachen verhallte, als die Löwinnen das Blut aufgeleckt hatten und verschwanden. Dampf stieg wieder aus der Erdspalte. Mohnrot. Die sterbende Pythia war allein mit dem kaum noch sichtbaren Schatten des Tiresias. »Ein bemerkenswertes Weib«, sagte der Schatten.

Die Nacht war einem bleiernen Morgen gewichen, schlagartig war er in die Höhle eingebrochen. Aber es war weder ein Morgen noch eine Nacht, sondern etwas Wesenloses, das unaufhaltsam hereingeflossen kam, weder Licht noch Dunkelheit, schatten- und farblos. Wie immer in dieser ersten Frühe, legten sich die Dämpfe als kalte Feuchtigkeit auf den Steinboden, klebten an den Felswänden, bildeten schwarze Tropfen, die langsam ihrer Schwere nachgaben und als lange dünne Fäden in der Erdspalte verschwanden.

»Nur eines verstehe ich nicht«, sagte die Pythia. »Daß mein Orakel zutraf, wenn auch nicht so, wie Ödipus es sich nun einbildet, ist ein unglaublicher Zufall; aber wenn Ödipus dem Orakel von Anfang an glaubte und der erste Mensch, den er tötete, der Wagenlenker Polyphontes war und die erste Frau, die er liebte, die Sphinx, warum kam ihm dann nicht der Verdacht, sein Vater sei der Wagenlenker gewesen und seine Mutter die Sphinx?«

»Weil Ödipus lieber der Sohn eines Königs als der Sohn eines Wagenlenkers sein wollte. Er wählte sich sein Schicksal selber aus«, antwortete Tiresias.

»Wir mit unserem Orakel«, stöhnte Pannychis verbittert, »nur dank der Sphinx kennen wir die Wahrheit.«

»Ich weiß nicht«, meinte Tiresias nachdenklich, »die Sphinx ist eine Priesterin des Hermes, des Gottes der Diebe und der Betrüger.«

Die Pythia schwieg; seit der Dampf nicht mehr aus der Erdspalte stieg, fror sie.

»Seit sie das Theater bauen«, behauptete sie, »dampft es hier viel weniger«, und dann meinte sie noch, die Sphinx habe nur in Hinsicht auf den thebanischen Hirten nicht die Wahrheit gesagt, »sie hat ihn wohl kaum zu einem Heiligtum geschickt, sondern den Löwinnen vorgeworfen wie den Ödipus, den Sohn der Iokaste; und ihren Ödipus, ihren Sohn, den übergab sie eigenhändig dem korinthischen Hirten. Die Sphinx wollte sichergehen, daß ihr Sohn am Leben blieb.«

»Kümmere dich nicht darum, Alte«, lachte Tiresias, »laß sein, was doch anders war und immer wieder anders sein wird, je mehr wir forschen. Sinne nicht mehr nach, sonst steigen weitere Schatten herauf und hindern dich

am Sterben. Was weißt du denn, vielleicht gibt es einen
dritten Ödipus. Wir wissen nicht, ob der korinthische
Hirte statt den Sohn der Sphinx – falls es der Sohn der
Sphinx war – der Königin Merope seinen Sohn ausgeliefert hat, nachdem er ihm ebenfalls die Fersen durchbohrt
und den echten Ödipus, der ja auch nicht der echte war,
den wilden Tieren ausgesetzt hatte, oder ob Merope den
dritten Ödipus nicht ins Meer geworfen hat, um ihren
eigenen Sohn, den sie heimlich geboren – womöglich
auch von einem Gardeoffizier –, dem treuherzigen Polybos als vierten Ödipus zu präsentieren? Die Wahrheit ist
nur insofern, als wir sie in Ruhe lassen.

Vergiß die alten Geschichten, Pannychis, sie sind un-
wichtig, wir sind in all dem wüsten Durcheinander die
Hauptpersonen. Wir befanden uns beide derselben ungeheuerlichen Wirklichkeit gegenüber, die ebenso un-
durchschaubar ist wie der Mensch, der sie herbeiführt.
Möglich, die Götter, gäbe es sie, hätten außerhalb dieses
gigantischen Knäuels von phantastischen Fakten, die,
ineinander verstrickt, die unverschämtesten Zufälle bewirken, einen gewissen, wenn auch oberflächlichen
Überblick, während wir Sterblichen, die sich inmitten
dieses heillosen Wirrwarrs befinden, hilflos darin herum-
tappen. Wir beide hofften, mit unseren Orakeln einen
zaghaften Anschein von Ordnung, die zarte Ahnung
einer Gesetzmäßigkeit in die trübe, geile und oft blutige
Flut der Ereignisse zu bringen, die auf uns zuschoß und
uns mit sich riß, gerade weil wir sie – wenn auch nur ein
wenig – einzudämmen versuchten.

Du orakeltest mit Phantasie, mit Laune, mit Übermut,
ja mit einer geradezu respektlosen Frechheit, kurz: mit
lästerlichem Witz. Ich ließ mit kühler Überlegung ora-

keln, mit unbestechlicher Logik, auch kurz: mit Vernunft. Zugegeben, dein Orakel war ein Volltreffer. Wäre ich ein Mathematiker, könnte ich dir genau sagen, wie unwahrscheinlich die Wahrscheinlichkeit war, daß dein Orakel zutreffen würde: Sie war phantastisch unwahrscheinlich, unendlich unwahrscheinlich. Aber dein unwahrscheinliches Orakel traf ein, während meine wahrscheinlichen Orakel, vernünftig abgegeben, in der Absicht, Politik zu machen und die Welt im Sinne der Vernunft zu ändern, ins Nichts verpufften. Ich Tor. Ich setzte mit meiner Vernunft eine Kette von Ursache und Wirkungen frei, die das Gegenteil von dem bewirkte, was ich beabsichtigte. Und dann kamst du, ebenso töricht wie ich, mit deiner blühenden Unbefangenheit, einfach drauflos und möglichst boshaft zu orakeln, aus welchen Gründen, spielt ja längst keine Rolle mehr, auch wem gegenüber, war dir gleichgültig; zufällig orakeltest du denn auch einmal einem blassen, humpelnden Jüngling namens Ödipus gegenüber. Was nützt es dir, daß du ins Schwarze getroffen hast und ich mich irrte? Der Schaden, den wir beide angerichtet haben, ist gleichermaßen ungeheuerlich. Wirf deinen Dreifuß weg, Pythia, in die Erdspalte mit dir, auch ich muß ins Grab, die Quelle Tilphussa hat ihr Werk getan. Lebe wohl, Pannychis, aber glaube nicht, daß wir uns entkommen. So wie ich, der die Welt seiner Vernunft unterwerfen wollte, in dieser feuchten Höhle mit dir konfrontiert worden bin, die du die Welt mit deiner Phantasie zu bezwingen versuchtest, so werden auf ewige Zeiten jene, für welche die Welt eine Ordnung, solchen gegenüberstehen, für welche die Welt ein Ungeheuer ist. Die einen werden die Welt für kritisierbar halten, die anderen nehmen sie hin. Die einen werden die Welt für so veränderbar halten, wie man einem Stein mit einem Meißel eine bestimmte Form zu geben vermag, die anderen werden zu bedenken geben, daß sich die Welt samt ihrer Undurchschaubarkeit verändere, wie ein Ungeheuer, das immer neue Fratzen annimmt, und daß die Welt nur insoweit zu kritisieren sei, wie die hauchdünne Schicht des menschlichen Verstandes einen Einfluß auf die übermächtigen tektonischen Kräfte der menschlichen Instinkte besitzt. Die einen werden die anderen Pessimisten schelten, die anderen jene Utopisten schmähen. Die einen werden behaupten, die Geschichte verlaufe nach bestimmten Gesetzen, die anderen werden sagen, diese Gesetze existieren nur in der menschlichen Vorstellung. Der Kampf zwischen uns beiden, Pannychis, wird auf allen Gebieten entbrennen, der Kampf zwischen dem Seher und der Pythia; noch ist unser Kampf emotional und wenig durchdacht, aber schon baut man ein Theater, schon schreibt in Athen ein unbekannter Dichter eine Ödipustragödie. Doch Athen ist Provinz, und Sophokles wird vergessen werden, aber Ödipus wird weiterleben, als ein Stoff, der uns Rätsel aufgibt. Ist sein Schicksal nun durch die Götter bestimmt oder dadurch, daß er sich gegen einige Prinzipien, welche die Gesellschaft der Zeit stützten, versündigt hat, wovor ich ihn mit Hilfe des Orakels zu bewahren suchte, oder gar, weil er dem Zufall zum Opfer fiel, hervorgerufen durch deine launische Orakelei?«

Die Pythia antwortete nicht mehr, und auf einmal war sie nicht mehr da, und auch Tiresias war verschwunden, und mit ihm der bleierne Morgen, lastend über Delphi, das auch versunken war.

Friedrich Dürrenmatt
im Diogenes Verlag

● **Das dramatische Werk**
  in 17 Bänden:

Es steht geschrieben / Der Blinde
Frühe Stücke. detebe 250/1

Romulus der Große
Ungeschichtliche historische Komödie.
Fassung 1980. detebe 250/2

Die Ehe des Herrn Mississippi
Komödie und Drehbuch. Fassung 1980.
detebe 250/3

Ein Engel kommt nach Babylon
Fragmentarische Komödie. Fassung 1980.
detebe 250/4

Der Besuch der alten Dame
Tragische Komödie. Fassung 1980.
detebe 250/5

Frank der Fünfte
Komödie einer Privatbank. Fassung 1980.
detebe 250/6

Die Physiker
Komödie. Fassung 1980. detebe 250/7

Herkules und der Stall des Augias
Der Prozeß um des Esels Schatten
Griechische Stücke. Fassung 1980.
detebe 250/8

Der Meteor / Dichterdämmerung
Nobelpreisträgerstücke. Fassung 1980.
detebe 250/9

Die Wiedertäufer
Komödie. Fassung 1980. detebe 250/10

König Johann / Titus Andronicus
Shakespeare-Umarbeitungen. detebe 250/11

Play Strindberg / Porträt eines Planeten
Übungsstücke für Schauspieler.
detebe 250/12

Urfaust / Woyzeck
Bearbeitungen. detebe 250/13

Der Mitmacher
Ein Komplex. detebe 250/14

Die Frist
Komödie. Fassung 1980. detebe 250/15

Die Panne
Hörspiel und Komödie. detebe 250/16

Nächtliches Gespräch mit einem verachteten Menschen / Stranitzky und der Nationalheld / Das Unternehmen der Wega
Hörspiele und Kabarett. detebe 250/17

● **Das Prosawerk**
  in 12 Bänden:

Aus den Papieren eines Wärters
Frühe Prosa. detebe 250/18

Der Richter und sein Henker
Der Verdacht
Kriminalromane. detebe 250/19

Der Hund / Der Tunnel / Die Panne
Erzählungen. detebe 250/20

Grieche sucht Griechin / Mr. X macht Ferien / Nachrichten über den Stand des Zeitungswesens in der Steinzeit
Grotesken. detebe 250/21

Das Versprechen / Aufenthalt in einer kleinen Stadt
Ein Requiem auf den Kriminalroman und ein Fragment. detebe 250/22

Der Sturz / Abu Chanifa und Anan Ben David / Smithy / Das Sterben der Pythia
Erzählungen. detebe 250/23

Theater
Essays, Gedichte und Reden. detebe 250/24

Kritik
Kritiken und Zeichnungen. detebe 250/25

Literatur und Kunst
Essays, Gedichte und Reden. detebe 250/26

*Philosophie und Naturwissen-
schaft*
Essays, Gedichte und Reden. detebe 250/27

Politik
Essays, Gedichte und Reden. detebe 250/28

Zusammenhänge/Nachgedanken
Essay über Israel. detebe 250/29

Außerdem liegt vor:
Über Friedrich Dürrenmatt
Essays, Aufsätze, Zeugnisse und Rezensio-
nen von Gottfried Benn bis Saul Bellow.
Chronik und Bibliographie. Herausgegeben
von Daniel Keel. detebe 250/30

● **Das zeichnerische Werk**
Bilder und Zeichnungen
Mit einer Einleitung von Manuel Gasser und
Kommentaren des Künstlers. Diogenes
Kunstbuch

Die Heimat im Plakat
Ein Buch für Schweizer Kinder. Zeichnungen. Mit einem Geleitwort des Künstlers.
kunst-detebe 26